TK_QwYywmGnLQNjhM

ANÁLISIS CLÍNICO Y FORENSE DE LA VIOLENCIA DE GÉNERO A TRAVÉS DEL ESTUDIO DE CASOS

ESPERANZA L. GÓMEZ-DURÁN
MONTSERRAT PÀMIAS MASSANA

Editoras

ANÁLISIS CLÍNICO Y FORENSE DE LA VIOLENCIA DE GÉNERO A TRAVÉS DEL ESTUDIO DE CASOS

Prólogo

CONSUELO LEÓN LLORENTE

Autores

IRIS CRESPO MARTÍN
AINA GASSÓ MOSER
ESPERANZA L. GÓMEZ-DURÁN
CARLES MARTIN FUMADÓ
MONTSERRAT PÀMIAS MASSANA
IRIS PÉREZ-BONAVENTURA
SUSANA PUJOL SERRA
MARTA VIZCAÍNO RAKOSNIK

Primera edición, 2022

Incluye versión en digital

Editorial Aranzadi, S.A.U.
Camino de Galar, 15
31190 Cizur Menor (Navarra)
ISBN: 978-84-1125-449-6
DL NA 2654-2022
Printed in Spain. Impreso en España
Fotocomposición: Editorial Aranzadi, S.A.U.
Impresión: Rodona Industria Gráfica, SL
Polígono Agustinos, Calle A, Nave D-11
31013 – Pamplona

Sumario

5

ASPECTOS DEONTOLÓGICOS DE RELEVANCIA EN LA ATENCIÓN Y ACTIVIDAD PERICIAL EN VIOLENCIA DE GÉNERO 103

AINA GASSÓ MOSER

ESPERANZA L. GÓMEZ-DURÁN

Libro electrónico. Guía de uso

Lista de autores

ESPERANZA L. GÓMEZ-DURÁN es Psiquiatra y Médico Forense. Doctora en Medicina por la Universidad de Málaga, es profesora titular de la Facultad de Medicina de la Universitat Internacional de Catalunya donde dirige el Máster Oficial de Psicopatología Legal, Forense y Criminológica. Tras solicitar excedencia voluntaria del Cuerpo Nacional de Médicos Forenses, ha sido médico psiquiatra de agudos y actualmente es psiquiatra de consultas externas en el Programa Integral de Atención al Profesional Sanitario Enfermo de la Clínica Galatea. Es secretaria de redacción en la Revista Española de Medicina Legal y Forense y vocal de la Sociedad Catalana de Medicina Legal y Forense.

MONTSERRAT PÀMIAS MASSANA es Psiquiatra infantil y de la adolescencia, Jefe de Servicio de Salut Mental Infanto-juvenil de la Corporació Sanitaria y Universitaria Parc Taulí. Doctora en Psiquiatría por la Universitat Autónoma de Barcelona. Máster en dirección y gestión sanitaria por la Universitat de Barcelona. Es también profesora Asociada en el Grado de Psicología y en el Grado de Medicina, así como Directora Médica de la Clínica Support de Psicología y Psiquiatría de la Universidad Internacional de Catalunya.

SUSANA PUJOL SERRA es Psicóloga clínica y profesora del Departamento de Ciencias Básicas de la Facultad de Medicina y Ciencias de la Salud de la Universidad Internacional de Catalunya.

MARTA VIZCAÍNO RAKOSNIK. es Psicóloga clínica y forense, doctora por la Universitat Internacional de Catalunya y profesora asociada, responsable de la asignatura de Victimología del Máster en Psicopatología Legal, Forense y Criminológica de la Universidad Internacional de Catalunya.

IRIS CRESPO MARTÍN es Psicóloga clínica y profesora del Departamento de Ciencias Básicas de la Facultad de Medicina y Ciencias de la Salud de la Universidad Internacional de Catalunya.

CARLES MARTIN FUMADÓ es médico forense y psiquiatra. Doctor en Medicina por la Universitat Autónoma de Barcelona. Profesor asociado y

11

responsable de Medicina Legal y Forense en el grado en Medicina y profesor de Penal y prácticas en el Máster en Psicopatología Legal, Forense y Criminológica de la Universidad Internacional de Catalunya.

Iris Pérez Bonaventura. Es Psicóloga clínica, Doctora en Psicología por la Universitat Autónoma de Barcelona. Profesora del Departamento de Ciencias Básicas de la Facultad de Medicina y Ciencias de la Salud de la Universidad Internacional de Catalunya.

Aina Gassó Moser. Es Psicóloga Forense, doctora por la Universitat Internacional de Catalunya y profesora de la Facultad de Medicina y coordinadora del Máster en Psicopatología Legal, Forense y Criminológica de la Universidad Internacional de Catalunya.

Prólogo

La violencia contra la mujer y en el seno del hogar constituye una lacra social y es un signo más de las múltiples heridas que sufre nuestra sociedad. Tal como muestran estudios recientes[1], en situaciones de alarma sanitaria y humanitaria se agravan las desigualdades sociales que subyacen en los sistemas socioeconómicos y de salud. Esto es precisamente lo que ha sucedido con la realidad de la violencia de género e intrafamiliar en los dos años de pandemia.

En España la Macroencuesta de Violencia contra la Mujer del 2019[2] señalaba que 1 de cada 2 mujeres ha sufrido algún tipo de violencia machista a lo largo de su vida y que esta proporción disminuía en el 2018 ya que 1 de cada 5 declaraban haberla padecido en los últimos 12 meses. Esta evolución se ha mantenido a la baja según un estudio de la Universidad de Granada (2022)[3].

A nivel mundial, Naciones Unidas indica en su informe anual que 243 millones de mujeres de entre 18 y 45 años sufrieron violencia física o psicológica a manos de sus parejas durante el confinamiento, una etapa en la que se incrementaron estos casos en un 30%[4], agudizando de este modo un problema que ya existía y señalando la importancia de la construcción de entornos seguros y saludables mediante políticas educativas y de

---

1. Thomas J. Papadimos, What's New in Critical Illness and Injury Science? Mental health and COVID-19: Self-inflicted and interpersonal violence amid a pandemic, International Journal of Critical Illness and Injury Science, 10.4103/IJCIIS.IJCIIS_66_20, 10, 2, (45), (2020). Crossref.
2. Estadística de Víctimas Mortales por Violencia de Género. Delegación del Gobierno contra la Violencia de Género. Ministerio de Igualdad. https://violenciagenero.igualdad.gob.es/violenciaEnCifras/macroencuesta2015/Macroencuesta2019/home.htm.
3. Impacto de la pandemia por COVID-19 en la violencia de género en España (2022) https://violenciagenero.igualdad.gob.es/violenciaEnCifras/estudios/investigaciones/2022/pdf/Estudio_Impacto_COVID-19.pdf.
4. Informe: COVID-19 and Ending Violence Against Women and Girls, 2020. Accessed: https://www.unwomen.org/en/digital-library/publications/2020/04/issue-brief-covid-19-and-ending-violence-against-women-and-girls.

sensibilización dirigidas a los agentes sociales implicados y a la población en su conjunto.

La presente obra recoge una compilación de casos orientados a un uso docente en torno a la realidad clínica y forense de la violencia de género. Sus editoras, Esperanza L. Gómez-Durán y Montserrat Pàmias Massana, contextualizan la obra en la introducción del libro y Esperanza Gómez-Durán se detiene en la doble mirada asistencial y forense en el primer capítulo titulado: *El abordaje asistencial y forense de la violencia de género.*

El equipo de docentes colaboradores de esta obra profundiza después en las distintas realidades: *La víctima de abuso sexual infantil* a cargo de las psicólogas Susana Pujol Serra y Marta Vizcaíno Rakosnik; la *Violencia de género online en la etapa adolescente* de la mano de las docentes Iris Pérez-Bonaventura y Aina Gassó Mosser y la *Violencia de género física y económica en la edad adulta,* cuyos autores son Iris Crespo y Carles Martin Fumadó. La obra se cierra con una reflexión deontológica sobre la práctica forense y clínica: *Aspectos deontológicos de relevancia en la atención y en la actividad pericial de en la violencia de género* escrita por Aina Gassó Mosser y Esperanza L. Gómez-Durán.

La calidad y la profundidad de los abordajes en los temas tratados, el exquisito uso de los datos convenientemente anonimizados y la profundidad del análisis de las cuestiones más candentes ofrecen diversas claves a tener en cuenta no sólo en el uso docente de estos casos en las aulas, sino en el debate social y mediático, poniéndonos como sociedad frente a una realidad que exige nuestro posicionamiento y una formación suficiente para afrontarlo. Un primer paso, y este es el objetivo del libro, es la mejora de la práctica médico, forense y asistencial de los futuros profesionales que salgan de nuestras aulas. Esperamos poder contribuir con este material docente al cumplimiento de este objetivo.

Dra. Consuelo León Llorente

Responsable de la Unidad de Igualdad e Inclusión
(Universitat Internacional de Catalunya)

Introducción

En el año 2021, el Ministerio de Igualdad registró 47 mujeres víctimas mortales por violencia de género en España. Más de la mitad fallecieron a manos de quién era su pareja dejando 31 huérfanos menores de 18 años y otras muchas más víctimas indirectas.

Aunque la violencia siempre está más presente en los contextos de mayor vulnerabilidad, las víctimas de la violencia de género pertenecen a cualquier estrato social y su nivel educativo, cultural o económico es inespecífico, teniendo en común sólo el hecho de ser mujer y padecer esta violencia como consecuencia de una alteración específica e histórica de las relaciones de poder entre sexos alimentado de un mal entendido concepto de la diferencia como subordinación.

Naciones Unidas en su *Declaración sobre la eliminación de la violencia contra la mujer* del 20 de diciembre de 1993, conceptualiza la violencia de género como una violación de los derechos humanos y libertades fundamentales y la define como "todo acto de violencia basado en el género que tiene como resultado posible o real un daño físico, sexual o psicológico, incluidas las amenazas, la coerción o la privación arbitraria de la libertad, ya sea que ocurra en la vida pública o en la vida privada".

Más específica es la legislación española que en su Ley Orgánica 1/2004 de *Protección Integral contra la Violencia de Género*, en su artículo 1, la define como "Es todo acto de violencia [...] que, como manifestación de la discriminación, la situación de desigualdad y las relaciones de poder de los hombres sobre las mujeres, se ejerce sobre éstas por parte de quienes sean o hayan sido sus cónyuges o de quienes estén o hayan estado ligados a ellas por relaciones similares de afectividad, aun sin convivencia. [...] que tenga o pueda tener como resultado un daño o sufrimiento físico, sexual o psicológico para la mujer, así como las amenazas de tales actos, la coacción o la privación arbitraria de la libertad, tanto si se producen en la vida pública como en la vida privada".

Este enfoque diferencial introduce en su definición legal el requisito de la pre-existencia de una relación entre víctima y perpetrador pero el profesional sanitario, administrativo, judicial no debería desviar el foco de atención, ni limitar la perspectiva entendiendo que aquellos casos en que la violencia se ejerce contra la mujer fuera de una relación de pareja, presente o pasada, también puede motivarse por la desigualdad de género y precisan la perspectiva de género en su abordaje.

La violencia de género puede afectar a la mujer en todas las etapas de su vida y presenta diferentes manifestaciones. Suele clasificarse según quién ha cometido el acto, quién es la víctima o cuál es el tipo de violencia ejercida o el daño causado, distinguiendo entre la violencia psicológica, física, sexual o económica.

La *violencia psicológica* suele configurarse como el cimiento sobre el que se construyen las restantes formas de violencia y está presente prácticamente en la totalidad de casos. Supone un tipo de agresión por acción u omisión, que no supone el contacto físico entre la víctima y el agresor, pero que lesiona la integridad psíquica de la víctima. Con frecuencia incluye amenazas de daño físico, intimidación, aislamiento o conductas que contribuyen a la desvalorización, disminución y anulación de los recursos internos de la mujer.

La *violencia física* conlleva acciones, comportamientos u omisiones que amenazan o lesionan la integridad física de una persona.

La *violencia sexual* se define como cualquier acto sexual, tentativa de consumarlo u otro acto dirigido contra la integridad sexual de una persona mediante coacción independientemente de su relación con la víctima y en cualquier ámbito.

La *violencia económica* comporta todas aquellas acciones u omisiones que afectan a la libre disposición del patrimonio de la mujer –incluyéndose tanto las acciones mediante las cuales el agresor dispone de ese patrimonio– así como las limitaciones de acceso al mismo.

Es preciso no olvidar que la violencia de género suele darse con mayor frecuencia en contextos de dependencia económica, cuando no existe un patrimonio propio de la mujer, por lo que consideramos también violencia económica todas aquellas acciones que afecten, impidan o condicionen económicamente una atención adecuada a las necesidades de la mujer.

Podemos concluir por tanto que todos estos tipos de violencia no son excluyentes entre sí y que a menudo confluyen sus diferentes formas en un mismo caso, con experiencias concurrentes de violencia o experiencias de polivictimización[1].

Más allá de la conceptualización del fenómeno, la violencia de género precisa de un abordaje multidisciplinar, multicéntrico e integral, que partiendo de políticas activas para la detección y prevención de todas las formas de violencia contra las mujeres se centre en las diferentes acciones que se precisa para su prevención y erradicación.

La Organización Mundial de la Salud (OMS) señala que entre el 55% y el 95% de las mujeres que sobreviven a la violencia no comparten su situación con otras personas, no piden ayuda, ni tampoco solicitan ningún tipo de atención. Su prevención supone por tanto todo un reto que requiere la implicación directa de los diferentes profesionales implicados: asistentes sociales, personal sanitario, psicólogos y fuerzas del orden entre otros, dado que en la atención a las víctimas existe a día de hoy un importante margen de mejora.

La violencia de género impacta de forma inmediata pero también a medio y largo plazo en el bienestar de la mujer, en su salud física y psíquica afectando al desarrollo del cerebro y la personalidad en la niña, pudiendo conllevar lesiones, enfermedades crónicas así como secuelas anatómico-funcionales y psíquicas tales como reacciones de estrés agudo, trastornos del sueño, trastornos afectivos y de ansiedad, trastornos del estado de ánimo, problemas relacionados con las sustancias tóxicas e incluso ideación autolítica o conductas suicidas en algunos casos.

Considerando todo lo anterior, los profesionales sanitarios tenemos una posición privilegiada y un papel esencial en la prevención de la violencia y en la atención de las víctimas. Dada la dificultad de muchas mujeres para acceder a los servicios de atención de la salud, es preciso promover aún más y por todos los medios su autonomía y dignidad. Más allá de la contribución al cambio social necesario, este cambio de mirada y abordaje tendrá sin duda una repercusión directa sobre las pacientes que atendemos y acompañamos, así como, si es el caso, en el proceso judicial subsiguiente.

El sistema judicial, que ha desarrollado en los últimos años diferentes dispositivos específicos para mejorar la intervención ante la violencia de género, requiere ineludiblemente de profesionales forenses que asesoren en esta materia a los profesionales encargados de impartir justicia.

---

1. La polivictimización se entiende como el padecimiento de múltiples victimizaciones de diferentes tipos como abuso sexual, abuso físico, la intimidación, y la exposición a la violencia familiar.

Sabemos que desde los tribunales se atienden los casos más graves y que muchas víctimas nunca llegan a contactar con el sistema judicial. Sin embargo, y precisamente por ello no podemos olvidar ni tampoco obviar que esta instancia es uno de los instrumentos principales capaces de contribuir a la erradicación de este fenómeno. Una reacción judicial represiva ante estos comportamientos lanza sin duda un mensaje claro a la sociedad además de proteger a la víctima, y ofrecerle un entorno seguro.

La cuestión plantea la violencia contra las mujeres y también la violencia intrafamiliar y vicaria como un hecho de estudio específico que vale la pena abordar a todos los niveles, también desde la investigación y la docencia universitaria. Este es el motivo de este manual compuesto por casos cuyo propósito es contribuir a que los diferentes profesionales que precisan formación específica para el abordaje de la violencia puedan cumplir adecuadamente con sus responsabilidades. A ellos va dirigido este manuscrito.

Por ello este libro no pretende ser una profundización teórica sobre la materia, sino más bien un modo práctico de contribuir a que todos los profesionales logremos ofrecer una respuesta individualizada a la situación de la mujer víctima y a su entorno, no sólo en el campo de la detección y evaluación asistencial de los casos, sino también en la evaluación forense. Conscientes de que existen múltiples manuales o protocolos sobre el abordaje de la violencia de género, este texto pretende aproximar estos temas al lector desde la experiencia de la atención clínica y a la evaluación forense de los casos. Dado que nuestro propósito es orientar a los profesionales en las diferentes tipologías de violencia de género, hemos redactado diferentes casos prototípicos de situaciones de victimización en violencia de género en las que se incluye una aproximación clínica y forense completa. Para ello hemos contado con profesionales clínicos y forenses que con su experiencia, calidad científica y sensibilidad contribuyen a desgranar los aspectos más relevantes de cada caso, en concreto tres formas de violencia con perfiles de víctimas muy diferentes.

El capítulo inicial, de contexto, establece la diferencia de enfoque y la necesaria coordinación entre la labor clínica o asistencial y la labor forense. Se describen los objetivos diferenciales de estos tipos específicos de intervención y los aspectos esenciales que guían uno y otro tipo de actuación. El capítulo final, por su parte, recoge los aspectos deontológicos de mayor importancia en la actividad asistencial y forense en violencia de género.

En toda la obra se aporta una mirada técnica evaluadora de la violencia de género a través de las especiales características de las víctimas de este tipo de violencia en sus diferentes formas. Sabemos que la polivictimización es propia de la violencia de género y no pretendemos establecer límites o barreras que no suelen existir en la vida real. Sin embargo, sin plantear casos tan puros conceptualmente que se tornen teóricos, intentaremos preservar una claridad suficiente que ayude al lector a visualizar las líneas maestras a seguir en cada evaluación.

El libro empieza con el caso de una menor víctima de violencia sexual en el que se describe la específica violencia contra los menores y sus características más relevantes, poniendo especial énfasis en las dificultades a las que se enfrentan los profesionales ante este tipo de casos.

En segundo lugar, se presenta un caso de violencia ejercida a través de las nuevas tecnologías, de las redes sociales, contra una adolescente. En este caso de violencia psicológica online, por sus especiales características, se muestra al lector el impacto negativo específico que suponen estas "nuevas" formas de victimización.

Por último, se ofrece la descripción del caso de una mujer de avanzada edad víctima de violencia física, una situación que nos permite aproximarnos a la violencia contra el anciano, silenciada muchas veces, pero tristemente noticia a raíz de la reciente pandemia COVID-19, desde una perspectiva también de violencia contra la mujer, en este caso anciana.

Se trata en definitiva de tres casos prototípicos que no corresponden a casos reales, pero en los que se han incorporado aspectos que sí pertenecen a las experiencias de multitud de víctimas conocidas por los autores a lo largo de su ejercicio profesional.

Así como los profesionales debemos abordar este tipo de casos, minimizando el potencial impacto personal negativo que puede tener en nosotros mismos, queremos también advertir al lector en este sentido. Este texto refleja experiencias tremendamente dolorosas que a día de hoy están sufriendo niñas y mujeres reales y que pueden llegar a transmitir su sufrimiento a quienes lean esta obra. Los relatos de violencia pueden generar reacciones y emociones intensas, de los que debemos ser conscientes y puede ser necesario que tomemos medidas para proteger nuestro propio bienestar.

Este manuscrito quizás les enfrente por primera vez a este tipo de casos y nuestro objetivo es que más allá del impacto emocional los prepare para afrontar adecuadamente estas situaciones en su ejercicio profesional.

Sólo así, sabiendo la finalidad clara de este texto, tenemos la esperanza de poder contribuir no sólo al aprendizaje sino también a su preparación emocional ante estos hechos y promover una adecuada reacción social, sanitaria y legal ante estos hechos.

Iniciábamos este capítulo introductorio citando el número de víctimas de violencia de género en el año 2021 y nos gustaría cerrarlo subrayando que será precisamente la experiencia de tres víctimas prototípicas de diferentes formas de violencia de género la que nos guiará para ayudar más eficazmente a las víctimas que atendamos en el futuro, a minimizar los efectos de esta victimización y a contribuir a que se imparta justicia.

ESPERANZA L. GÓMEZ-DURÁN
MONTSERRAT PÀMIAS MASSANA

(Editoras)

Abordaje asistencial y forense en violencia de género

Esperanza L. Gómez-Durán

Universitat Internacional de Catalunya

La violencia de género requiere un trabajo coordinado entre las diferentes instituciones implicadas, desde servicios de atención a la mujer, servicios sociales, sanitarios, jurídicos, entidades sociales, sistema judicial y diferentes cuerpos policiales y de servidores públicos. Por este motivo la intervención debe contemplar la prevención, la detección y la asistencia, así como la actuación posterior, que incorpora la perspectiva forense.

El abordaje integral de la violencia de género incluye tanto la vertiente asistencial como la forense. La atención a las víctimas tiene un objetivo terapéutico y de soporte, así como un componente legal que aproxima al profesional asistencial al entorno judicial. La actividad forense supone un elemento esencial en la fundamentación probatoria de los procedimientos por violencia de género. Ambas perspectivas son necesarias pero diferentes.

I. ABORDAJE ASISTENCIAL

La detección de la violencia de género puede ocurrir en cualquier entorno, pero el entorno asistencial clínico supone una oportunidad de abordar cuestiones relacionadas que pueden llevar de una cuestión inespecífica a la sospecha de violencia de género. De hecho, sabemos que las mujeres víctimas de violencia de género utilizan los servicios sanitarios más que la población general.

La Ley Orgánica 1/2004, de 28 de diciembre, de medidas de protección integral contra la violencia de género, estableció en su artículo 15 que "Las Administraciones sanitarias, en el seno del Consejo Interterritorial del Sistema Nacional de Salud, promoverán e impulsarán actuaciones de los profesionales sanitarios para la detección precoz de la violencia de género y propondrán las medidas que estimen necesarias a fin de optimizar la contribución del sector sanitario en la lucha contra este tipo de violencia [...] En particular, se desarrollarán programas de sensibilización y formación continuada del personal sanitario con el fin de mejorar e impulsar el diagnóstico precoz, la asistencia y la rehabilitación de la mujer en las situaciones de violencia de género a que se refiere esta ley".

Para detectar estas situaciones los profesionales sanitarios deben ser proactivos y mantenerse atentos a los posibles indicadores. Algunos factores que nos pueden hacer pensar en experiencias de violencia de género son las visitas repetidas por problemáticas diversas, más aún si la etiología resulta poco plausible, pero también pueden constituir una señal de alarma la anulación frecuente de visitas o las visitas emergentes o de urgencia, así como determinados tipos de lesiones o aspectos de la salud sexual.

En el ámbito de la salud mental nos puede alertar, desde la conducta en consulta a la aparición de malestar psicológico, cuadros psiquiátricos o intentos de autolisis. Se recomienda indagar de forma sistematizada sobre posibles situaciones de violencia y más aún si existen estos u otros indicadores.

La atención de primera línea, según la OMS, debe dar respuesta a la mujer que declara haber sufrido violencia de forma continuada, con el fin contribuir a atender sus necesidades, priorizando su seguridad en todo momento y sin invadir su intimidad. Deberá realizarse en consonancia con los principios sobre primeros auxilios psicológicos, que ayudan a las personas que han experimentado episodios adversos o angustiosos. Se establecen cinco elementos básicos, representados por el acrónimo compuesto por las letras de la palabra "ANIMA":

- Atención al escuchar. El facultativo debe escuchar atentamente y con empatía.

- No juzgar y validar. Esta actitud implica que la comprende, la cree, no la juzga, le asegura que no tiene la culpa de lo sucedido.

- Informarse sobre sus necesidades y preocupaciones emocionales, físicas, sociales y prácticas.

– Mejorar su seguridad estableciendo un plan que le permita estar protegida desde ese momento en el que acude a la consulta para intentar evitar que los episodios de violencia se repitan.

– Apoyar para que pueda acceder a la información de los servicios y al respaldo social que necesita.

Para ello elegiremos un lugar apropiado donde hablar y le informaremos con antelación de lo que tenemos obligación de comunicar y a quién, es decir, le explicaremos los límites de la confidencialidad establecidos por imperativo legal. Le animaremos a hablar, pero sin presionar; escuchándola de forma atenta, permitiendo los silencios y que se recupere antes de seguir hablando, por ejemplo si llora.

No plantearemos el tema si acude acompañada, preguntaremos en un tono adecuado a su nivel cultural y a la actitud que muestre en la visita, introduciendo el tema inicialmente de forma no excesivamente directa para luego concretar con preguntas sencillas.

Ante la detección de un caso, la Sociedad Catalana de Medicina Familiar y Comunitaria recomienda reforzar el punto de partida: haber hablado de la situación, que es un gran paso para a continuación invitar al diálogo, mostrar empatía, reconocer el abuso por parte del perpetrador, romper los mecanismos de control desculpabilizándola y aclarando que nadie merece ser maltratado, contextualizar y reconocer que son muchas las mujeres que sufren estas situaciones, reinterpretar los síntomas indicando que la violencia afecta de forma directa su salud, valorar el riesgo del caso y establecer estrategias para mantener su seguridad, romper el aislamiento haciéndole saber que no está sola y que hay recursos especializados, y finalmente empoderándola, respetando sus decisiones.

A la detección debe seguir el soporte a la víctima y a su entorno. Además de la asistencia de primera línea anteriormente descrita, la OMS recomienda que en todos los casos se reciba apoyo psicosocial básico que conlleva el ofrecimiento de información sobre las reacciones de estrés normales ante situaciones de violencia, proporcionando alivio y ayudando así a afrontar mejor la situación. Se deberá definir y analizar con la paciente-víctima las situaciones que le generan estrés o tienen impacto negativo en su vida, reforzando sus elementos de apoyo social y mecanismos de afrontamiento sanos, enseñándole técnicas sencillas de gestión del estrés, orientándola a encontrar sus propias soluciones y ofreciéndole la derivación a servicios específicos de salud.

Una vez atendido el motivo de consulta, activaremos a los profesionales que sean necesarios para abordar el cuadro y comunicaremos la situación a Trabajo Social. Asimismo, atenderemos a otras posibles víctimas, directas o indirectas del caso y las acompañaremos en el proceso que sigue a la detección del mismo.

La importancia del profesional sanitario asistencial seguirá siendo esencial más allá de lo meramente asistencial. Su importancia en el procedimiento penal que pueda instarse es innegable pues con frecuencia es el primer profesional en contactar con la víctima, podrá referir lo que ésta le manifieste, aportar datos objetivos de las lesiones o el estado de salud integral y constituir un testimonio imparcial cualificado.

El profesional sanitario deberá recoger el relato de la víctima y realizar un examen completo de las lesiones, que deberá reflejarse de forma clara, minuciosa y precisa. Ese informe con frecuencia será el único dato objetivo disponible. La actitud del profesional facilitará o no la riqueza en detalles del relato e incluso posibilitará que se detecten aspectos difícilmente evidenciables pese a una anamnesis[1] y exploración completa.

II. DIFERENCIAS ENTRE LA INTERVENCIÓN ASISTENCIAL Y FORENSE DEL PROFESIONAL

Efectivamente el profesional clínico asistencial tendrá un papel relevante en su colaboración con el sistema judicial, sin embargo, su rol es marcadamente diferente del rol forense y no debe confundirse. Ambos formarán parte de la respuesta social frente a la violencia de género, pero de una forma necesariamente diferente.

La actividad asistencial o clínica tiene como objetivo conservar, restablecer o mejorar el estado de salud de la persona, entendido en su sentido más amplio. Sin embargo, la actividad forense pericial forma parte del sistema probatorio que rige en los procedimientos judiciales o extrajudiciales y será esta necesidad probatoria la que establezca el objetivo de la actividad pericial.

El objetivo en el ámbito asistencial generalmente es compartido entre el paciente y el profesional clínico. En el ámbito clínico ambos persiguen la curación, la atenuación de sus padecimientos o el acompañamiento profesional en la situación por la que acude a la consulta. Excepcionalmente los servicios asistenciales pueden ser instrumentalizados en búsqueda de

---

1. Exploración clínica que se ejecuta mediante el interrogatorio para identificar personalmente al individuo, conocer sus dolencias actuales, obtener una retrospectiva de él y determinar los elementos familiares, ambientales y personales relevantes.

otros objetivos –casos de simulación, disimulación o exageración sinto-matológica– o encontrarse también ante casos de trastornos ficticios.

El perito deberá contribuir a esclarecer la verdad científica en la medida de lo posible. El peritado puede igualmente perseguir que ese fin se logre y colaborar de forma auténtica en el proceso, pero es posible que el peritado quiera disimular, simular o exagerar, para obtener un beneficio o librarse de un perjuicio que estará en juego en el procedimiento al que se aportará dicha prueba pericial. Esta diferencia altera totalmente las carac-terísticas de la habitual relación clínico-paciente cuando se trata de una relación perito-peritado. Sin embargo, en el entorno forense, el peritado y el profesional no suelen coincidir en su objetivo, por ello es importante tener claro estos aspectos mencionados.

Al margen del objetivo de cada uno de los agentes implicados, exis-ten aspectos diferenciales como el desarrollo del proceso asistencial/evaluativo, la afectación de la confidencialidad en el entorno forense, el uso de herramientas específicas (con frecuencia herramientas utilizadas en la clínica se usan en el ámbito forense pero también existen instrumen-tos propios de un ámbito o del otro) y el formato en que se presentan los conocimientos específicos de la disciplina.

III. ABORDAJE FORENSE

El sistema judicial, más específicamente la jurisdicción penal, se con-forma en un elemento esencial en la lucha contra la violencia de género: las mujeres deben ser informadas de los mecanismos legales que las pro-tegen y asistidas en los mismos.

La actividad forense se iniciará a instancias de un peticionario con-creto, ya sea la propia víctima, el perpetrador, sus letrados, las compa-ñías de seguros, las instituciones o la propia Administración de Justicia, a petición de los Tribunales, Magistrados o Fiscales.

Nuestra actuación pericial quedará reflejada en un documento médico-legal, ya sea informe o dictamen pericial, con aspectos formales característicos que incluyen la correcta identificación del peritado y del perito, del objetivo de la pericial y la metodología empleada, los resul-tados obtenidos, su concreta relevancia y la relación con el conocimiento actual sobre la materia, así como unas conclusiones finales numeradas que den respuesta al objeto pericial. Este documento deberá acompañarse del juramento o promesa imprescindible en la actividad pericial, fecha y firma.

La actividad forense no conforma un sistema probatorio autónomo, sino que funciona a demanda y debe adaptarse a la solicitud que se realice. Es decir, la actividad pericial deberá dar respuesta a un objetivo concreto. Este objetivo viene determinado por la solicitud recibida. Si bien, si es consultado de forma previa a la solicitud, el profesional podrá asesorar en aquello que su disciplina puede aportar al caso, contribuyendo a definir el objetivo. También son posibles las solicitudes con objetivos en cierto grado genéricos que den lugar a un análisis general del caso o casos en los que el profesional aborde aspectos en su pericial relacionados con el objetivo principal sobre los que no haya sido requerido de forma específica. Por último, debemos poder aclarar las limitaciones de nuestra disciplina ante un objetivo que no sea asumible con razón de ciencia.

Partiendo de dicho objetivo y las características del caso, diseñaremos la metodología pericial a utilizar, incluyendo siempre un estudio pormenorizado de la documental. El resto de técnicas resultan variables, siendo frecuentemente imprescindible la exploración del peritado o peritada y el requerimiento de pruebas complementarias, entre las que se incluyen diferentes instrumentos psicométricos. La información del entorno puede igualmente resultar de interés, siempre teniendo en consideración que nos encontramos en un entorno forense, en el que pueden existir informaciones contrapuestas o sesgadas. Por último, puede resultar recomendable la interconsulta a otros facultativos que hayan intervenido asistencialmente en el caso o la colaboración con peritos de otras disciplinas.

Si la metodología utilizada presenta limitaciones o existen actuaciones que no han podido llevarse a cabo o bien no se ha logrado que aporten aquello que se esperaba a la evaluación, deberemos manifestarlo.

Los resultados de esta evaluación deberán discutirse en relación a los hechos o aspectos de relevancia forense y a la luz de los conocimientos propios de nuestra disciplina en el apartado habitualmente denominado "consideraciones" o "discusión", de manera que el destinatario de aquel informe pericial pueda seguir de forma fluida y fundamentada el razonamiento que lleva a nuestras conclusiones.

Las conclusiones serán fruto del trabajo reflexivo del profesional sobre los datos objetivos y subjetivos obtenidos y contribuirán al asesoramiento que precisa el peticionario o un tercero, por ejemplo, el tribunal, en su toma de decisiones.

En el ámbito de la actividad pericial a nivel judicial en violencia de género, la actuación forense forma parte de la respuesta de la Administración de Justicia y se define como la construcción de los aspectos probatorios médicos y psicosociales que tienen el objeto de facilitar la mejor información posible al juzgador.

La actividad forense debe asumir e integrar las distintas disciplinas que son esenciales en la comprensión y conocimiento de la violencia de género. Se propone una prueba multidisciplinar e interdisciplinar en que colaboren médicos, profesionales de la psicología y del trabajo social. Se adaptará a la complejidad y a las circunstancias específicas del caso, intentando evitar la victimización de las víctimas supervivientes en el proceso.

Por último, el posicionamiento de la víctima de violencia de género ante la actividad pericial merece una mención especial. Tal y como ya se ha descrito, la relación perito-peritado no goza de la unidad de objetivo entre ambos que tiene la relación asistencial. En el ámbito forense, la validación y aceptación incondicional propia de una relación terapéutica no existe. Las víctimas de violencia en general poseen una creencia evaluativa clara de lo sucedido y pueden aportar la información de forma fidedigna o incluso sesgada en su propio interés. Sin embargo, las víctimas de violencia de género, con frecuencia acuden a la valoración aún inmersas en una marcada ambivalencia ante su situación que puede condicionar respuestas inconsistentes. La distorsión tendrá que ser valorada con detenimiento, pues la disimulación es frecuente e incluso forma parte del fenómeno, pero también debe descartarse la simulación. Se ha descrito un ciclo de disimulación y simulación o exageración en las denuncias por violencia de género que deriva de esta ambivalencia descrita.

En todo caso en los casos de violencia de género, como con todas las presuntas víctimas en el ámbito forense, el profesional mantendrá una actitud empática sin contaminar la función pericial.

En lo que al procedimiento judicial se refiere, el resultado final del trabajo será la elaboración de un informe pericial de alta calidad que proporcione la máxima información experta al juzgador en su labor de concluir y decidir sobre los aspectos penales y en la materia de evaluación de la responsabilidad civil, pero también de protección y establecimiento de las medidas de seguridad que correspondan en cada caso.

IV. BIBLIOGRAFÍA

Col·legi Oficial de Metges de Barcelona. Cuadernos de la buena praxis 31. El abordaje médico de la violencia hacia las mujeres y sus hijos e hijas. Septiembre de 2013.

Ministerio de Justicia. Guía y Manual de Valoración Integral Forense de la Violencia de Género y Doméstica. 2005.

OMS. Atención de salud para las mujeres que han sufrido violencia de pareja o violencia sexual. 2014.

OMS. Manejo clínico de las personas sobrevivientes de violación y de violencia de pareja. Elaboración de protocolos para situaciones de crisis humanitaria. 2022.

Societat Catalana de Medicina Familiar i Comunitària. Violencia de género i Atenció Primària de Salut: una visió des de la consulta. 2012.

Víctima de abuso sexual infantil

Susana Pujol Serra

Universitat Internacional de Catalunya

Marta Vizcaíno Rakosnik

Universitat Internacional de Catalunya

I. INTRODUCCIÓN O RESUMEN DEL CASO

Carlota ha vivido episodios de violencia en el entorno familiar hasta que sus padres se separaron cuando ella tenía 4 años. Su madre rehízo más tarde su vida con una nueva pareja, ella tenía entonces 6 años. Con 9 años de edad, fue llevada al pediatra por ansiedad, disminución del rendimiento académico y regresión en el control de esfínteres. Asimismo, reportaba un claro rechazo hacia la nueva pareja de la madre, todo ello en el contexto del nacimiento de un nuevo hermano. Se objetivó una clínica ansiosa en relación al tiempo de convivencia con su padrastro y se recomendó que pasara los fines de semana con los abuelos. La menor reveló abusos sexuales por parte de su padrastro a la abuela quien alertó al terapeuta y a la madre. Se activaron los servicios específicos de atención y se dio soporte a la menor y a su madre logrando una mejoría evidente. La evaluación forense valoró el estado psicoemocional de la menor, su relación con un presunto abuso sexual infantil, e incorporó la potencial repercusión de los acontecimientos traumáticos pasados, analizando la credibilidad del testimonio y aportando la valoración de daño psicológico sufrido.

II. PRESENTACIÓN CLÍNICA

Carlota es una niña de 9 años que acudió al Centro de Salud Mental Infanto-Juvenil acompañada por su madre. Fue derivada por el pediatra de su Centro de Atención Primaria al presentar síntomas de ansiedad y regresión en el control de esfínteres en un contexto de celos por parte de su hermano pequeño desde hacía unos tres meses.

Los padres de Carlota –María y Pedro– se separaron cuando ella tenía 4 años por problemas de malos tratos hacia la madre y consumo de sustancias por parte del padre. Carlota, con su corta edad, había vivido situaciones muy duras tanto de agresividad verbal como física hacia su madre a lo largo de un año y medio. Su madre aguantaba pensando que la situación sería quizás pasajera. Hasta que un día, tras haber llegado su padre etílico a casa, la paliza fue tal y tan evidente que su madre se vio obligada a denunciarlo.

Tras la denuncia, Carlota dejó de ver a su padre y nunca más supo de él. Tampoco mantuvo relación con ningún miembro de la familia paterna. Por aquel entonces, María y su hija Carlota se fueron a vivir a casa de los padres maternos debido a las dificultades económicas por las que atravesaban.

María trabaja en un jardín de infancia, pero su sueldo no le permitía poder pagar el alquiler, la educación y todos los gastos de una casa. Los abuelos de Carlota –Francisca y José– son unas personas humildes y sencillas, muy trabajadores y volcados en ayudar a su única hija María. En numerosas ocasiones le habían advertido y recomendado que dejara a su marido, un hecho que hizo que se distanciaran, puesto que Pedro le tenía prohibido que fuera a verlos con asiduidad.

Durante los primeros meses, Carlota hizo pequeños retrocesos a nivel evolutivo, se volvió más retraída de lo habitual, tenía más rabietas, volvió a hacerse pipí por las noches y le costaba mucho irse a la cama, despertándose varias veces por la noche. En algunas ocasiones Carlota preguntaba por su padre, a lo que le respondían que no se había portado bien con su madre ni con ella y que por eso habían dejado de verlo. En el colegio la notaban algo más inquieta y nerviosa, pero trataron de tranquilizar a la madre insistiendo en que era normal que estuviera así y que poco a poco iría asimilando los cambios. Y así fue. Con el tiempo y con el cariño de los abuelos y de su madre, Carlota se acostumbró a su nueva situación. Empezó a abrirse más con sus abuelos, a estar más tranquila en casa, las rabietas eran más reconducibles y dejó de hacerse pipí durmiendo toda la noche. En el colegio volvió a ser la de siempre, una alumna algo tímida, pero muy querida en la clase. Era muy curiosa y le gustaba mucho aprender. Su rendimiento académico era muy bueno.

Y así transcurrieron los meses y al cabo de dos años su madre conoció a Eduardo, un hombre atractivo y muy simpático, de esos que en seguida cautivan y generan buen ambiente. Eduardo gozaba de una buena posición económica. Tenía una empresa propia y solía viajar a menudo. A Eduardo nunca le molestó que María tuviera una hija, decía que le encantaban los niños y que quería hacer el papel del padre que nunca tuvo. Eduardo se esforzó mucho por ganarse la confianza de Carlota, entre semana solía viajar, pero los fines de semana se la llevaba a planes divertidos, jugaba mucho con ella, le compraba cosas…Francisca y José conocieron al que sería su yerno, por fin su hija había encontrado una buena persona que la cuidaba y la respetaba.

Al cabo de un año, cuando Carlota tenía 7 años, formalizaron la relación y se fueron a vivir juntos con la idea de ampliar la familia. Y así fue, al poco tiempo María se quedó embarazada y tuvieron a Gonzalo, un bebé risueño y tranquilo. Carlota echaba mucho de menos a sus abuelos y acordaron que durmiera con ellos fines de semana alternos para hacer el cambio más llevadero. Carlota estaba muy contenta con la llegada de su hermano, aparentemente no tenía celos y ayudaba mucho a su madre. En casa las cosas iban bien, Eduardo viajaba entre semana, pero había una muy buena relación entre ellos. Eran una familia feliz.

Al cabo de unos meses, Carlota volvió a hacer un retroceso. Se volvió más inhibida, empeoraron las notas de forma significativa, volvió a hacerse pipí por las noches y a estar más nerviosa. Carlota explicaba que en alguna ocasión en el colegio se ponía muy nerviosa y le costaba respirar y empezó a no querer ir al colegio por miedo a que le volviera a pasar. Entre semana en casa, aunque le notaban algo más tranquila algunos días, los jueves por la noche se ponía a llorar y algunas veces incluso verbalizaba que no quería que volviera Eduardo. Carlota empezó a decir que quería volver a vivir en casa de sus abuelos y no solo los fines de semana alternos sino siempre. Todos se sorprendían, pues Eduardo no podía tratarla mejor. Su madre lo achacaba a posibles celos, Gonzalo había cumplido un año y ya y empezaba a estar muy gracioso y divertido. Eduardo le prestaba mucha atención a su hijo y el tiempo que le dedicaba antes a Carlota ahora se repartía entre los dos. La sintomatología de Carlota poco a poco fue a más, exhibiendo signos claros de ansiedad e insistiendo que quería ir a vivir con los abuelos. Preocupada por la situación, la madre decidió consultar con un profesional y pedir ayuda.

1. PRIMERA VISITA

Motivo de la consulta: Paciente de 9 años derivada por pediatra de referencia por presentar sintomatología ansiosa, enuresis nocturna secundaria y bajo rendimiento académico en contexto de celos por nacimiento de hermano menor. Acude acompañada por su madre.

Psicobiografía: Convive con su madre (María), la pareja de ésta (Eduardo) y su hermanastro de un año (Gonzalo).

Padre biológico ausente desde que la niña tenía tres años por antecedentes de malos tratos.

Historia del trastorno actual: La madre refiere un empeoramiento conductual y anímico en los últimos meses con descenso del rendimiento académico. Explica que su hija se ha vuelto más introvertida, llora más a menudo, la notan mucho más nerviosa, se ha vuelto a hacer pipí por las noches. Refiere sintomatología ansiosa en tres ocasiones. Carlota ha tenido un ataque de ansiedad en el colegio sin motivo aparente y ahora no quiere ir al colegio y llora casi todos los días. La madre verbaliza que cree que esta sintomatología está ligada a posibles celos de su hermanastro. Explica que hay una buena relación con su padrastro pero que la niña en los últimos meses ha empeorado e incluso ha llegado a decir que los fines de semana no quiere que vuelva y que quiere volver a vivir con sus abuelos como antes. La madre insiste en que antes del nacimiento de Gonzalo tenía muy buena relación con Eduardo por lo que parece que él no es el problema.

2. ANTECEDENTES (ATC)

ATC médicos familiares: Padre HTA, madre diabetes gestacional. Abuelo materno neo de colon en remisión. Abuela materna angina de pecho.

ATC psiquiátricos familiares: Padre antecedentes de consumo de alcohol (OH) y malos tratos. Abuela materna Trastorno Depresivo Mayor (TDM) en remisión. Niegan otros trastornos psiquiátricos.

ATC médicos *personales*: No intervenciones quirúrgicas. No alergias medicamentosas. No hay enfermedades significativas. No tratamiento farmacológico de forma habitual.

ATC psiquiátricos personales: Primera vez que consultan a un servicio de salud mental. La madre explica que esta sintomatología la había tenido parecida cuando se produjo la separación con su padre biológico y se fueron a vivir con los abuelos. Al cabo de un tiempo la sintomatología mejoró espontáneamente por eso no consultaron a ningún especialista.

Historia evolutiva:

La madre tuvo un embarazo espontáneo sin complicaciones. Niega consumo de tóxicos. Parto eutócico vaginal a las 39 semanas de gestación. Peso 3,350 kg. No recuerda puntuación de *apgar* pero niegan complicaciones postnatales posteriores. De bebé fue una niña risueña y generalmente tranquila.

Alimentación: Lactancia materna hasta los 6 meses, luego mixta. No dificultad en la introducción al sólido. Actualmente tiene una alimentación variada, aunque no le gustan mucho las verduras. Cuando está más nerviosa pierde un poco el apetito.

Sueño: Dificultades en la conciliación del sueño, tendencia al llanto por las noches por cólicos del lactante que remitieron a los 11 meses. En los períodos en los que ha estado más nerviosa refiere pesadillas. Actualmente presenta dificultad en la conciliación y en el mantenimiento del sueño desde hace tres meses.

Control de esfínteres: Adquiridos en edad *normotípica*. Retroceso enuresis nocturna secundaria a los 4 años que remitió en unos meses. Actualmente, enuresis nocturna secundaria desde hace tres meses aproximadamente.

Hábitos de autonomía: Bien adquiridos. Vestimenta: hace todo sola. Alimentación: toda sola. Higiene: Lo hace todo sola, únicamente le ayudan cuando se tiene que lavar el pelo (cada dos días). Responsable, ayuda en tareas domésticas, se hace la cama y ayuda a poner y recoger la mesa.

Desarrollo psicomotriz: Dentro de los márgenes de la normalidad. Gateo previo. Deambulación autónoma alrededor de los 14 meses de edad. Niña ágil.

Desarrollo del lenguaje: Dentro de los márgenes de la normalidad. No recuerda la edad de las primeras palabras, pero niegan las dificultades. Buena expresión y comprensión del lenguaje. No dislalias. Comprende bien las bromas y dobles sentidos.

Sociabilidad: Generalmente sociable, aunque algo introvertida. No hay dificultades en el contacto ocular. Sonrisa social presente en los primeros meses. Gestualidad adecuada. De pequeña algo más inhibida, en el parque le costaba entrar a jugar con niños que no conocía, pero luego cuando la introducían ya no tenía ningún problema. Tendencia a la timidez en entornos nuevos. En el colegio tiene un grupo de tres amigas con las que se lleva muy bien. La suelen invitar a fiestas. Empática, ofrece consuelo cuando la ocasión lo requiere.

Juego simbólico presente en la primera infancia. Le gustaba mucho jugar a mamas y papas. Muy imaginativa y creativa. Se le dan muy bien las manualidades. Expresiva, resulta fácil detectar cuando está contenta o cuando está triste o preocupada.

En general la niña es tranquila. Niegan hiperactividad ni inquietud psicomotriz elevada. Es capaz de concentrarse para hacer los deberes y no suele olvidarse de las cosas ni el material. En clase está atenta y en general aprende rápido. Reflexiva, piensa las cosas antes de hacerlas y/o decirlas. Habitualmente mostraba buena tolerancia a las frustraciones, aunque últimamente en seguida salta por todo y se va a su habitación.

Niegan obsesiones, ni rituales. No conductas repetitivas. No tics en la primera infancia. Onicofagia reciente desde hace unos meses desde que la notan más nerviosa. Niegan bruxismo durante el sueño.

Niegan ideación ni comportamientos autolíticos.

Historia de acontecimientos traumáticos: La madre relata situaciones muy complicadas de malos tratos en el domicilio de su padre hacia su madre en las que Carlota en alguna ocasión había estado presente, tanto en situaciones de agresividad física como verbal. Estas situaciones las estuvo viviendo de forma intermitente durante un año y medio aproximadamente hasta que la agresión fue tan evidente que la forzaron a denunciar.

Conducta en casa: Generalmente la niña es cariñosa con las personas de su entorno más cercano, aunque últimamente la notan más arisca y esquiva en casa. Siempre había sido una niña bastante alegre y ayudaba en casa. Últimamente la notan más nerviosa, se preocupa mucho por los planes que van a hacer el fin de semana, con quién se va a quedar, si su madre va a salir o no a hacer un recado… En el colegio ha tenido varios ataques de ansiedad sin motivo aparente. Reconoce sudoración, taquicardia, sensación de falta de ahogo… que han motivado continuas quejas para no ir al colegio. Ahora está más irritable, parece que salta a la mínima.

Biorritmos: Hipofagia desde hace unos meses con algo de repercusión ponderal pero no significativa (pérdida de 2 kg). Insomnio de conciliación y de mantenimiento desde hace unos meses. No quejas somáticas de origen funcional.

Proceso de escolarización: Escolarización desde P2 sin alteraciones significativas. En P3 ligero retroceso en hitos del desarrollo fruto de experiencia traumática que mejoró de forma espontánea con el tiempo y sin necesidad de intervención. Buena relación social con compañeros, aunque algo tímida. No dificultades en la adquisición de la lectoescritura, buen rendimiento académico. Actualmente cursa cuarto de primaria en un colegio público de Sabadell. Hasta ahora no ha tenido dificultades en el colegio. Recientemente la tutora ha alertado a la madre que la notan más nerviosa y lábil a nivel emocional. Han confirmado ataques de ansiedad que le han ocurrido en clase sin motivo aparente. En el colegio están preocupados por su estado actual. Su rendimiento académico ha bajado mucho en el último trimestre.

No realiza ninguna actividad extraescolar.

3. EXPLORACIÓN PSICOPATOLÓGICA (EPP)

Consciente y orientada en las tres esferas, poco colaboradora. Tranquila y abordable. Aspecto e higiene cuidado. Contacto sintónico. Contacto visual adecuado, aunque evasiva ante las preguntas. Sonrisa social adecuada, pero *fascies* seria. No se objetiva irritabilidad ni desconfianza. Sin alteraciones psicomotoras evidentes. Permanece sentada en la silla. Comportamiento adecuado. Discurso inducido con preguntas. Poco espontáneo, respuestas monosilábicas. Lenguaje con expresión clara y morfosintaxis adecuada, lógico y coherente. Comprende las consignas. No se registran ecolalias ni palilalias asociadas. Contesta a las preguntas de forma simple y breve. Consigue mantener la atención durante la entrevista y no se distrae. Ofrece poca información de forma espontánea, pero muestra interés en la entrevista y en el entrevistador. Humor reactivo. Capacidad hedónica conservada. Ansiedad flotante. No clínica de rango psicótico. No ideas auto ni heteroagresivas. No ideación autolítica planificada.

OD inicial: Ansiedad a valorar en evolución.

Plan:

— Visita con paciente a solas. Intervención psicológica con frecuencia inicialmente semanal para establecer un buen vínculo y posteriormente visitas quincenales.

— Pendiente valorar en profundidad la historia de acontecimientos traumáticos.

— Hacer análisis funcional de la conducta, detectar bien inicios sintomatología.

— Iniciar intervención Terapia Cognitivo Conductual para la ansiedad.

4. SEGUIMIENTO DE VISITAS

Carlota se mostró más bien inhibida durante las primeras sesiones ofreciendo respuestas únicamente a demanda y escuetas. Reconocía que desde hacía unos meses se encontraba más preocupada y triste, pero callaba cuando se le preguntaba por el motivo de su preocupación. Desde que empezó a venir, Eduardo y María habían hablado y quedaron, por iniciativa propia, que Eduardo pasaría más tiempo a solas con Carlota. Quizás de esta manera Carlota superaría los celos de su hermano. Contrariamente a lo que pensaron, la situación empeoró.

En las tres primeras visitas se trabajó la ansiedad y cómo hacerle frente mediante pensamientos alternativos y técnicas de relajación. Se habló de su hermano y de la relación que tenía con él, de su madre y sus abuelos, de su padrastro... No se llegó a hacer un buen análisis funcional de la conducta porque callaba cosas y se intuía que omitía información.

Poco a poco se fue abriendo más y fue verbalizando que quería volver a vivir con sus abuelos, que no quería que volviera Eduardo los viernes... Era evidente que algo pasaba con Eduardo. Ella no lo quería explicar, pero le hacía mucho daño. Un secreto incrustado. Así que, ante la duda, se recomendó y se acordó con su madre que de momento Carlota no pasara tiempo con Eduardo y fuera los fines de semana a dormir con sus abuelos. Su madre puso en duda la recomendación, pero ante la insistencia aceptó. Carlota suspiró aliviada en cuanto le explicamos que durante unas semanas dormiría todos los fines de semana en casa de los abuelos, esa frase fue la que más le tranquilizó.

Al cabo de dos semanas el facultativo recibió un mail. Necesitaban una visita urgente. Carlota había verbalizado a su abuela, con la que tenía mucha confianza, que Eduardo era demasiado cariñoso con ella y que algunas veces le tocaba la vulva y a ella no le gustaba. Eduardo le insistía en que tenía que ser un secreto, que nadie la creería y que su madre volvería a ser una infeliz como cuando estaba con su padre biológico.

Inmediatamente contactamos con la madre que vino desconcertada con su hija a la visita. La madre verbalizó que esto no podía ser, que si no sería una invención de la niña para llamar la atención... Le costaba mucho aceptar la cruda y dura realidad: su pareja abusaba de su hija. Insistimos en la importancia de validar las verbalizaciones de su hija y agradecerle la confianza por habérselo explicado a la abuela.

Hicimos la visita con Carlota, quien volvió a informar del mismo suceso sin cambios ni incoherencias en su discurso. Estaba claramente afectada, pero se había quitado un gran peso de encima. Había podido verbalizar un secreto que le hacía mucho daño desde unos meses atrás.

Contactamos con Trabajo Social quienes ayudaron con todos los temas imprescindibles, había que poner una denuncia y derivar a servicios especializados de Unidad de Atención a la Familia y Mujer (UFAM) para valorar el tema del abuso sexual, que lo confirmaron tras una evaluación muy exhaustiva.

Y seguimos con las visitas intensivas. Carlota volvió a recuperar la sonrisa y al cabo de unos meses empezó a dormir más tranquila. La ansiedad disminuyó notablemente y en el colegio recuperó su buen rendimiento académico. Su madre precisó tratamiento farmacológico e intervención psicológica que a día de hoy mantiene con evolución positiva. Ahora Carlota y su madre vuelven a convivir con sus padres quienes aportan un buen soporte familiar.

5. CONCLUSIONES

Muchas veces en la consulta inicial no emerge el verdadero motivo de consulta, por ello es muy importante establecer un buen vínculo con los pacientes y confiar en la veracidad de su discurso.

El abuso sexual es un hecho frecuentemente infradiagnosticado dada su repercusión y en muchas ocasiones escondido durante años o incluso durante toda la vida, por culpa de la manipulación y de las amenazas sufridas, a pesar de que la paciente pueda estar en tratamiento psicológico.

El abuso sexual infantil se da principalmente en el ámbito intrafamiliar, aunque también puede darse en el ámbito extrafamiliar y en todos los niveles socioculturales.

Es importante sospechar de un posible abuso sexual infantil ante determinadas sintomatologías diversas que pueden incluir síntomas de ansiedad, depresivos, conductuales, quejas somáticas... sin olvidar que no existe un síndrome patognomónico del abuso sexual infantil.

III. EVALUACIÓN FORENSE

1. PRESENTACIÓN

El abuso sexual infantil (ASI) incluye los contactos sexuales que se producen a través del uso de la fuerza o la amenaza de su uso, independientemente de la edad de los participantes, así como todos los contactos sexuales entre un adulto y un niño, independientemente de si hay un engaño o no, o si el niño entiende la naturaleza sexual de la actividad (Berliner y Elliot, 2002).

Desde el *National Center of Child Abuse and Neglect* se plantea y comprende el abuso sexual infantil (ASI) como "contactos e interacciones entre un niño y un adulto, cuando el adulto usa al niño para estimularse sexualmente él mismo, al niño o a otra persona. El abuso sexual puede ser cometido por una persona menor, cuando ésta es significativamente mayor que el niño o cuando el agresor está en una posición de poder o control sobre el menor" (Vicente, 2015).

La investigación sobre las consecuencias del abuso es considerablemente más numerosa entre los niños en edad escolar. En el ámbito físico/motor, la enuresis todavía aparece como un problema, habiendo encontrado en algunos autores otros problemas físicos tales como dolores de estómago y de cabeza en niñas abusadas sexualmente (Trickett, Noll, Reifman y Putnam, 2001). En el campo socio-emocional, al igual que ocurría con los niños más pequeños, todavía se pueden encontrar las conductas sexuales inapropiadas y los problemas internalizantes como la ansiedad, depresión y retraimiento (Hébert, Tremblay, Parent, Daignault y Piché, 2006). Pero durante esta etapa pueden aparecer también una serie de problemas nuevos. Los problemas externalizantes –agresiones y problemas conductuales– trastornos disociativos, problemas en las relaciones con los iguales, bajo rendimiento escolar y desregulaciones en los niveles de cortisol y otros trastornos psicobiológicos debidos a una desregulación del eje hipotalámico-hipofisario-adrenal, lo que podría explicar los problemas emocionales de las víctimas y que son más frecuentes entre niños víctimas de abuso sexual que entre niños no víctimas (Trickett et al., 2001; Trickett, Noll, Susman, Shenk y Putnam, 2010).

Los mitos y creencias que acompañan a este tipo de sucesos pueden dificultar su detección e inicio del protocolo necesario por parte de los adultos del entorno del menor. Algunos de los más frecuentes son que el abusador es alguien desconocido, delincuente o enfermo mental, que son casos aislados o que no tiene consecuencias graves (Vicente, 2015). Nada más alejado de la realidad, puesto que, según el Consejo Europeo, uno de cada cinco niños que es víctima de abusos sexuales, "el abusador suele ser alguien conocido por el niño y que forma parte del entorno del menor", el abusador "con frecuencia se camufla bajo la apariencia de gran respetabilidad", hecho que proporciona una buena coartada para no ser objeto de sospecha; además, el ASI es "más frecuente en niñas que en niños" (Vicente, 2015).

Focalizados en el microsistema familiar, se considera relevante el hecho de que el menor conviva con una sola figura parental biológica (Finkelhor, Moore, Hamby y Straus, 1997); la presencia de una figura masculina en el domicilio que no tenga parentesco con el menor, como es el caso de la pareja de la madre; o miembros que forman parte del sistema familiar, en casos de familias reconstituidas, como pueda ser un hermanastro (Black, Heyman y Slep, 2001); así como la existencia de otros miembros de la familia extensa en el hogar, como abuelos, tíos o primos (Margolin, 1994; Pou, Ruiz, Comas y Petitbó, 2001).

Los adultos que han sido víctimas de abuso sexual infantil presentan una mayor probabilidad de padecer trastornos emocionales como depresión, ansiedad, baja autoestima o problemas en las relaciones sexuales (Berliner y Elliot, 2002; Guerricaechevarría y Echeburúa, 2005). El ASI (abuso sexual infantil) puede afectar también a la percepción que las víctimas tienen de sí mismas y en sus relaciones con los otros. Los problemas interpersonales comunes de las víctimas incluyen dificultades para iniciar, mantener y desarrollar relaciones, así como dificultades para confiar en los demás (Cortés y Cantón, 2008).

2. OBJETIVOS

Los objetivos de la evaluación forense consisten en:

- Conocer el estado psicoemocional de la menor y estudiar si la sintomatología que se presenta es fruto de un proceso de abuso sexual infantil.
- Valorar la historia de acontecimientos traumáticos pasados.
- Realizar la comprobación de la credibilidad del testimonio para conocer la veracidad de las declaraciones de la menor.
- Valoración de secuelas psicológicas.

3. EVALUACIÓN

La obtención del testimonio en casos de ASI requiere una atención especial en cuanto a la forma de realizarla, dado que en estas situaciones el entrevistado es un menor, además de ser una persona con posibles efectos psicológicos, tanto cognitivos como emocionales, derivados de los hechos denunciados. De hecho, si no se atiende a la metodología de la obtención del relato podríamos ocasionar "afectaciones adicionales al daño directo". Es decir, es preciso evitar o minimizar al máximo la posible revictimización que podamos ocasionar a la víctima al pasar por este procedimiento de evaluación (Barreto-Jiménez y Estupiñán-Carreño, 2019). Además de contemplar la posible victimización secundaria, también es aconsejable realizar de manera adecuada la obtención del testimonio para no dañar en lo posible el recuerdo del acontecimiento, evitando su contaminación.

Para poder llegar a los objetivos establecidos en el informe forense, es imprescindible recoger información a través de la entrevista. Ésta se realizará en un entorno adecuado, tranquilo, y estará a cargo de dos peritos psicólogos. Por lo tanto, predominará la narrativa libre en la descripción del hecho denunciado, por lo que las preguntas realizadas deben ser abiertas y no sugestivas. Se hará hincapié en el beneficio de preguntas abiertas, ya que permiten unas respuestas "más largas y detalladas" y "más precisas" que en preguntas concretas. Para promover este tipo de narrativa, se sugieren frases como "Cuéntame todo lo que puedas sobre eso", "dime todo acerca de ello, justo desde el principio hasta el final" o "quiero comprender bien todo lo relacionado con ello. Comienza con la primera cosa que sucedió y dime todo lo que puedas, incluso cosas que creas que no son importantes". También, se insta al entrevistador a animar la narrativa con comentarios como "¿Qué más puedes contarme sobre eso?", sin menospreciar las pausas del menor en su relato ni precipitarse en cambiar de tema. (Cabañas, 2003).

Las entrevistas siempre se deben grabar, para poder realizar posteriormente la credibilidad del testimonio y así utilizarla como prueba preconstituida. La credibilidad se dará cuando "las conductas, afectos y cogniciones del menor sean comprensibles y estén en consonancia con la narración expuesta". Así pues, el trabajo del psicólogo forense abarca la evaluación de la credibilidad del testimonio en concordancia con el comportamiento y los aspectos cognitivo-emocionales. La prueba preconstituida se utiliza en los casos de ASI para salvaguardar el testimonio del menor del "deterioro derivado de múltiples e inadecuados abordajes" e impedir su revictimización tras su "paso por el procedimiento penal" (Sotoca et al., 2013).

Actualmente, el protocolo habitual en España, que evalúa la credibilidad en las declaraciones de menores en casos de presuntos abusos sexuales mediante el análisis del contenido del relato, es el *Sistema de Análisis de la Validez* (SVA) de las declaraciones. Dicho protocolo consta de una entrevista semiestructurada, el análisis del contenido de esta bajo criterios del CBCA (Análisis del contenido basado en criterios) y la integración de los resultados/información con el *Listado de Validez* (Jp et al., 2014). El resultado final del análisis establece la clasificación del relato de forma cualitativa en cinco categorías: creíble, probablemente creíble, indeterminado, probablemente increíble e increíble.

Por un lado, como criterios para el análisis del contenido del CBCA tenemos:

EL ANÁLISIS DE CONTENIDO BASADO EN CRITERIOS (CBCA)
Características generales
Estructura lógica Elaboración desestructurada Cantidad de detalles
Contenidos específicos
Engranaje contextual Descripción de interacciones Reproducción de la conversación Complicaciones inesperadas durante el incidente
Peculiaridades del contenido
Detalles inusuales Detalles superfluos Incomprensión de detalles relatados con precisión Asociaciones externas relacionadas Alusiones al estado mental subjetivo Atribución del estado mental del autor del delito
Contenidos referentes a la motivación
Correcciones espontáneas Admitir fallos de memoria Plantear dudas sobre el testimonio Auto-desaprobación Perdón al autor del delito
Elementos específicos
Detalles específicos de la ofensa

Tabla 1. (Godoy-Cervera y Higueras, 2005).

Por otro lado, tendríamos los criterios del *Listado de Validez* de modo que el análisis de la credibilidad emplea un conjunto de criterios para discriminar si "la declaración es producto de un hecho experimentado por el menor, de la fantasía o de la sugestión" (Manzanero y Muñoz, 2011):

Factores relacionados con la declaración
Características psicológicas (lenguaje, afecto y susceptibilidad a la sugestión):   Limitaciones cognitivo-conductuales   Lenguaje y conocimiento   Emociones durante las entrevistas   Sugestionabilidad
Características de la entrevista (análisis calidad entrevista):   Procedimientos de la entrevista   Influencias sobre los contenidos de las declaraciones
Motivación (aspectos emocionales influyentes):   Circunstancias de la alegación original   Motivación para declarar   Influencia por parte de otros
Cuestiones investigativas
Falta de realismo   Declaraciones inconsistentes   Evidencia contradictoria   Características del delito

Tabla 2. (Jp et al., 2014).

4. PRUEBAS PSICOMÉTRICAS COMPLEMENTARIAS

Para poder contrastar la información obtenida en el procedimiento anterior y tener conocimiento sobre la sintomatología que pueda estar sufriendo el menor junto con vínculos y posibles problemas relacionales en el núcleo familiar, es relevante aplicar la prueba SENA (Sistema de Evaluación para Niños y Adolescentes) y la prueba TAMAI (Test Autoevaluativo Multifásico de Adaptación Infantil).

A partir de los resultados del SENA podremos conocer posibles problemas interiorizados tales como: depresión, ansiedad, ansiedad social, quejas somáticas, obsesión-compulsión y sintomatología postraumática; problemas exteriorizados como hiperactividad e impulsividad, problemas de atención, agresividad, conducta desafiante, problemas de control de la ira, conducta antisocial; y otros problemas como podrían ser: retraso en el desarrollo, problemas de la conducta alimentaria, problemas de aprendizaje, esquizotipia, consumo de sustancias etc. El SENA también permite detectar áreas de vulnerabilidad que predisponen al evaluado a presentar problemas más severos. Algunas de estas áreas son los problemas de regulación emocional, la rigidez, el aislamiento, la búsqueda de sensaciones o las dificultades de apego. Asimismo, evalúa la presencia de varios recursos psicológicos que actúan como factores protectores ante diferentes problemas y que pueden utilizarse para apoyar la intervención. Algunos de estos recursos evaluados por este instrumento son: la autoestima, la integración y competencia social, la inteligencia emocional o la conciencia de los problemas.

Por otro lado, el TAMAI proporciona información de las siguientes áreas: Inadaptación general, Inadaptación personal, Inadaptación escolar, Inadaptación social, Insatisfacción familiar, Insatisfacción con los hermanos, Educación adecuada del padre, Educación adecuada de la madre, Discrepancia educativa, Pro-imagen y Contradicciones. Además, este instrumento completa la información de las áreas anteriores mediante diversas subescalas específicas tales como Infravaloración, Regresión, Indisciplina, Conflicto con las normas, Desconfianza social, Relaciones con los padres, Insatisfacción con el ambiente familiar, Hipomotivación, Somatización, Depresión, Timidez, Introversión, Educación adecuada del padre o Educación adecuada de la madre, entre otras.

5. RESULTADOS DE LAS PRUEBAS PSICOMÉTRICAS

Las puntuaciones en las escalas de control salen dentro de la normalidad en todas las pruebas.

En referencia a las puntuaciones del SENA aplicado a la progenitora de Carlota, las puntuaciones son las siguientes:

- Destacan la subescala de índice de problemas emocionales (T = 77) e índice de problemas conductuales (T = 71).

- En la escala de problemas, destaca la ansiedad (T = 73) como problema interiorizado. En referencia a los problemas exteriorizados, destacan problemas de atención (T = 74) y la conducta desafiante (T = 70). También destaca el comportamiento inusual (T = 81).

- En la escala de vulnerabilidades, destacan los problemas de regulación emocional (T = 80) y el aislamiento (T = 71).

- La escala de recursos personales muestra una puntuación baja en disposición al estudio (T = 29).

En referencia a las puntuaciones del SENA aplicado a Carlota, las puntuaciones son las siguientes:

En la escala de problemas destacan:

- En la subescala de problemas interiorizados puntúa alto en ansiedad (T = 81), depresión (T = 79), quejas somáticas (T = 74) y sintomatología postraumática (T = 71).

- En la subescala de problemas exteriorizados puntúa alto en problemas de atención (T = 72).

- En la subescala de problemas contextuales puntúa alto en problemas familiares (T = 85) y en problemas en la escuela (T = 72).

- En referencia a las escalas de vulnerabilidad, destacan problemas de regulación emocional (T = 70) y la conciencia de los problemas (T = 30).

En cuanto a la información que nos proporcionan los resultados del TAMAI:

- La menor sufriría una inadaptación general alta (T = 81-95), dando énfasis a la inadaptación personal medio-alta (T = 61-80), con un autodesajuste alto (T = 81-95); inadaptación escolar media alta (61-80), con una aversión al aprendizaje alta (T = 81-95); e inadaptación social media-alta (61-80), con una puntuación alta en restricción social: introversión y hostiligencia alta (T = 81-95).

- Destaca la insatisfacción del ambiente familiar con una puntuación alta (T = 81-90) y cabe considerar que no existe una puntuación relevante en la insatisfacción con los hermanos.

- En la escala de educación adecuada de la madre hay una puntuación media (41-60), destacando la puntuación baja en educación asistencial-personal media baja (T = 21-40).

- La escala de educación adecuada del padre puntúa media-baja (21-40), destaca la puntuación alta en permisivismo (81-90) y la puntuación baja (6-20) en educación asistencial-personal.

6. DISCUSIÓN

En relación al estado psicoemocional de Carlota, cuando la nueva pareja de la madre se había instalado en su hogar, la menor hizo un retroceso, afectándole en el ámbito escolar, emocional y evolutivo. Estaba más nerviosa. En el colegio sufría ansiedad, por lo que se generó aversión y como consecuencia lo evitaba. Cuando Eduardo tenía que volver de algún viaje, Carlota lloraba y verbaliza que no quería que volviera. Todos se extrañaban mucho porque Eduardo no la podía tratar mejor. La madre lo relacionaba con celos. Además, en el momento que aumenta el contacto con el supuesto abusador, la sintomatología destacada aumenta, por lo que el estado psicoemocional de la menor empeora. Esto daría peso a la relación entre el contacto con la pareja de la progenitora y el estado psicológico de la menor.

Carlota presenta sintomatología ansiosa y regresión en el control de esfínteres en supuesto contexto de celos hacia su hermano menor, sintomatología totalmente compatible con las consecuencias de ser víctima de abuso sexual. Cabe destacar que se justifica la afectación de la menor por el entorno actual, esto ha enmascarado la causa real como podrían ser los abusos.

La información del caso coincide con las fases del abuso sexual infantil:

Fase de seducción: el que ejerce la agresión utiliza la confianza y dependencia, de este modo preparar el lugar y momento preciso para ejecutar el abuso. Esta fase es el inicio de la implicación del niño o adolescente por medio de juegos o regalos que sean de su interés. El supuesto abusador utilizó la relación que tenía con la progenitora para acercarse a la menor. En un principio, tenían muy buena relación, el supuesto abusador se llevaba muy bien con todos los miembros de la familia.

Fase de interacción sexual abusiva: evolución progresiva, incluye alguna actuación exhibicionista, caricias con intenciones amorosas, masturbación, etc. Desde ese instante se habla de abuso sexual. La menor explica que en ocasiones había tocamientos en la vulva.

Instauración del secreto: por medio de amonestación el abusador impone la omisión en el niño, que por miedo o temor no tiene otra alternativa que callar y adaptarse a la situación. La menor finalmente le explicó a su abuela, con quien tenía muy buena relación y mucha confianza, lo que le hacía la pareja de su madre. Además, explicaba que era un secreto y por eso no lo contaba porque le había amenazado con que volvería a sentirse como se sintió cuando estaba con su padre biológico.

La situación en el hogar provocaba que la menor quisiera ir a casa de sus abuelos maternos, con los que tenía un vínculo afectivo estrecho y bien consolidado, y con quienes se sentía protegida. De esta manera, evitaba los encuentros con la pareja actual de su progenitora. La sintomatología que sufría Carlota iba empeorando, e insistía con que quería vivir con sus abuelos, quería evitar por todos los medios al supuesto abusador, aunque no comentaba el motivo.

Fase de divulgación: esta fase puede o no llegar –muchos abusos quedan por siempre en el silencio por cuestiones sociales–, y, en el caso del incesto, implica una quiebra en el sistema familiar, hasta ese momento en equilibrio. Puede ser accidental o premeditada, esta última a causa del dolor causado a los niños pequeños o cuando llega la adolescencia del abusado.

Después de mucho silencio y mutismo ante preguntas relacionadas con el presunto abusador, la menor cuenta el mismo suceso sin cambios ni incoherencias. La afectación psicoemocional y la expresión es totalmente coherente con lo que explica. Es relevante que la menor de detalles exactos de qué pasaba, dónde le había tocado y cómo se había sentido ella en ese momento. También explica con qué le amenazaba, utilizaba claramente una situación vivida desagradable para amenazarla y mantener en secreto. Una vez explicada la situación, Carlota siente alivio, que es muy habitual en los casos de ASI.

Fase represiva: generalmente, después de la divulgación, en el caso del incesto, la familia busca desesperadamente un reequilibrio para mantener a cualquier precio la cohesión familiar, por lo que tiende a negar, a restarle importancia o a justificar el abuso, en un intento por seguir como si nada hubiese sucedido.

La progenitora no aceptaba en un inicio la situación, era algo tan grave que prefería pensar que la menor quería llamar la atención. Igualmente, acaba entrando en razón y elige creer a su hija y enfrentarse a la realidad que ésta explica.

Por último, cabe destacar que la sintomatología y los problemas destacados en los resultados de las pruebas SENA y TAMAI son coherentes con la situación que se plantea y con la sintomatología que sufre la menor.

7. CONCLUSIONES

- La menor presenta sintomatología ansiosa-depresiva con retroceso evolutivo que puede ser compatible con un proceso de abuso sexual infantil.

- Actualmente no hay afectación aparente en relación a los acontecimientos vividos con el padre biológico.

– En el análisis de la credibilidad se observa que en el relato de la menor hay verosimilitud.

– Existe una afectación en las relaciones sociales, en la autoestima y en la seguridad emocional de la menor. El rendimiento escolar también se ve perjudicado.

Pensamos que nuestras conclusiones se seguirán del preceptivo juramento o promesa propio de la actividad pericial.

IV. BIBLIOGRAFÍA

Barreto-Jiménez, L. F., y Estupiñán-Carreño, M. I. (2019). Herramientas de obtención del testimonio en etapas del ciclo vital del menor. Universidad Cooperativa de Colombia.

Berliner, L. (2000). What is sexual abuse. En: H. Dubowitz y D. DePanfilis (Eds.), Handbook for Child Protection (pp. 18-22). Thousand Oaks, CA: Sage.

Berliner, L., Briere, J., Hendrix, C. T., Jenny, C. y Reid, T. A. (Eds.), The APSAC Handbook on Child Maltreatment (pp. 55-78). Thousand Oaks, CA: Sage.

Black, D. A., Heyman, R. E. y Slep, A. M. S. (2001). Risk factors for child sexual abuse. Aggression and Violent Pirámide.

Cabañas, E. (2003). Traducción protocolo de entrevista forense Michigan.

Cortés, M. R. y Cantón, J. (2008). El abuso sexual infantil: Un grave problema social. En J. Cantón y M. R. Cortés, Guía para la evaluación del abuso sexual infantil (pp. 13-52).

Finkelhor, D., Moore, D., Hamby, S. L. y Straus, M. A. (1997). Sexually abused children in a national survey of parents: Methodological issues. Child Abuse Neglect, 2 (1), 1-9.

Gerricaechevarria, C. y Echeburúa, E. (2005). Abuso sexual en la infancia: víctimas y agresores: un enfoque clínico. Barcelona: Ariel.

Godoy-Cervera, V., y Higueras, L. (2005). El análisis de contenido basado en criterios (CBCA) en la evaluación de la credibilidad del testimonio. Papeles Del Psicólogo, 26(92), 92-98.

Jp, M., L., S. y Mc, N. (2014). Sistema De Análisis De Validez De Las Declaraciones (Protocolo Sva) En Un Caso De Abusos Sexuales Entre Menores. Descripción De Criterios Y Su Aplicación Statement Validity

Assessment (Sva Protocol) in a Case of Sexual Abuse Among Children. Description of. Gaceta Internacional de Ciencias Forenses, 12(1), 69-79.

Manzanero, A. L. y Muñoz, J. M. (2011). La prueba pericial psicológica sobre la credibilidad del testimonio: reflexiones psico-legales.

Margolin, L. (1994). Child sexual abuse by uncles. Child Abuse & Neglect, 18, 215-224.

Pou, J., Ruiz, A., Comas, L., Petitbó, M. D., Ibáñez, M. y Bassets, J. (2001). Abuso sexual. Experiencia en una unidad funcional de abusos a menores. Anales Pediatría, 54, 243-250.

Sotoca, A., Muñoz, J. M., González, J. L., y Manzanero, A. L. (2013). La prueba preconstituida en casos de abuso sexual infantil: aportaciones desde la psicología jurídica. La Ley Penal, 102, 112-122.

Trickett, P. K., Noll, J. G., Reiffman, A. y Putnam, F. W. (2001). Variants of intrafamilial sexual abuse experience: Implications for long term development. Journal of Development and Psychopathology, 13, 1001-1019.

Trickett, P. K., Noll, J. G., Susman, E. J., Shenk, C. E. y Putnam, F. W. (2010). Attenuation of cortisol across development for victims of sexual abuse, Developmental Psychopathology, 22, 165-175.

Vicente, C. de M. (2015). Detectando el abuso sexual infantil. Mesa Redonda, 30(26), 42-120.

Violencia de género online en la etapa adolescente

Iris Pérez-Bonaventura

Universitat Internacional de Catalunya

Aina Gassó Mosser

Universitat Internacional de Catalunya

I. INTRODUCCIÓN O RESUMEN DEL CASO

El presente capítulo describe el caso de Noelia, una adolescente de 15 años que presenta una sintomatología ansiosa en el colegio, siendo su familia alertada de esta situación. La exploración clínica muestra sintomatología depresiva y reactiva ante una experiencia de violencia de género en redes. La evaluación forense nos introduce en la realidad de la violencia online en la pareja estableciendo el alcance del daño psíquico sufrido.

II. PRESENTACIÓN CLÍNICA

Noelia es una chica de 15 años que vive en un piso pequeño en Barcelona. Tiene un hermano mayor, José, de 18 años. Sus padres se separaron hace 3 años y actualmente tienen la custodia compartida. Los dos progenitores viven en Barcelona y actualmente Noelia y José viven una semana con su madre, Marta, y otra semana con su padre, Juan, que convive con su pareja, María, y el hijo de ambos, Dani, de 2 años. Antes de la separación la familia residía en una localidad de Barcelona, en una casa grande con jardín. El cambio fue significativo para todos. En el caso de Noelia, allí tenía muchos amigos y cada tarde salía al parque a jugar con ellos. Ahora algunos fines de semana coge el tren y va a visitarlos, pero cada vez menos.

Actualmente Noelia cursa 3.º de la ESO en una escuela pública del barrio. Su rendimiento académico actual ha disminuido en los últimos meses. En clase se encuentra distraída pensando en las cosas que le preocupan, le cuesta mucho prestar atención y se distrae fácilmente ya que mira constantemente de reojo el móvil para comprobar qué mensajes le llegan.

Sus padres no se habían dado cuenta de lo que sucedía hasta que, un martes por la tarde, recibieron una llamada del profesor de Noelia. Les explicó que aquel día Noelia se había tenido que marchar de clase porque había empezado a hiperventilar, a sollozar y a temblar. Se la encontró en el pasillo llorando y ante la insistencia del profesor, finalmente, Noelia le contó todo lo que le estaba pasando.

Hacía unos meses se hizo un perfil en una red social para conocer a gente y hacer amigos. Se enamoró de un chico llamado Jaime que, según su perfil, decía tener 16 años. Era guapo, fuerte y parecía simpático. Los primeros días fueron muy agradables, hablaban a todas horas y se reían juntos de las palabras y emojis que se intercambiaban. Pero más adelante, Noelia se agobió. Sentía que le controlaba y que debía responderle a cada momento.

1. HISTORIA DEL NEURODESARROLLO

Los padres, Juan y Marta, acuden a la primera visita con Noelia y responden a las preguntas respecto a la historia evolutiva de Noelia.

Refieren un embarazo deseado y sin complicaciones, un parto natural a término con un peso y talla normal. La madre no refiere haber sufrido ansiedad ni depresión post-parto.

Los primeros días de vida de Noelia fueron tranquilos. Dormía bien por la noche y no tuvo ningún problema para coger el pecho. La alimentación fue con lactancia materna durante 6 meses y posteriormente no hubo dificultades en la introducción de alimentos sólidos.

Noelia realizó una sonrisa social hacia los 3 meses de edad y siempre mostró interés por los demás, aunque le costaba quedarse con alguien si no estaban sus abuelos o su madre cerca. Realizó juego simbólico desde pequeña y le encantaba mostrar las cosas que le gustaban a su familia. Cuando iban al parque jugaba y se relacionaba bien con sus amigos y era respetuosa y solidaria con los otros. Si veía que un niño se había hecho daño, siempre corría en su ayuda.

Noelia comenzó a gatear hacia los 6 meses y consiguió mantenerse sentada sin caerse de lado a los 9 meses. A los 13 meses empezó a dar sus primeros pasos, a los 14 meses intentaba caminar sola, aunque se caía, y a los 18 meses ya caminaba de manera totalmente autónoma. A los 16 meses corría de manera adecuada sin tropezarse. Siempre ha sido muy hábil con las manualidades y de pequeña se pasaba tardes enteras cortando y pegando cosas en libretas.

A los 14 meses empezó a pronunciar sus primeras palabras y a los 22 meses empezó a construir frases. Comprendía bien lo que los otros decían y ella se expresaba bien. A nivel articulatorio, le costó decir la letra "r" y hacia los 6 años, durante algunos meses, acudió al logopeda hasta que la pudo decir correctamente.

Empezó la guardería a los 3 años y medio. Durante varios meses lloró mucho cuando sus abuelos la dejaban en la guardería, les decía que "quería quedarse con ellos siempre y no separarse nunca jamás". La profesora fue muy comprensiva con ella y, poco a poco, consiguió que hiciera la transición sin llorar, aunque siempre le costó despedirse de sus abuelos. Una vez estaba en el centro, se relacionaba bien con sus compañeros y se lo pasaba bien.

Respecto al control de esfínteres, dejó de hacerse pis por la noche hacia los 3 años. Sin embargo, a los 5 años volvió a hacerse pis durante un año hasta que finalmente se resolvió el episodio de forma espontánea. Actualmente hay algunas noches en las que la madre de Noelia ve la cama mojada, pero Noelia lo niega.

Los padres definen a su hija como una niña tranquila y buena que en los últimos años y meses se ha vuelto más tímida y menos alegre que antes. La ven triste, sin ganas de hacer cosas. Ambos coinciden en que pasa muchas horas con el móvil y no saben a qué hora se va a dormir ya que Noelia siempre les dice que "necesita el móvil para dormirse".

En relación a los datos escolares, hasta este curso siempre había tenido un rendimiento académico bueno. Sacaba notables y excelentes en la mayoría de las asignaturas, menos en mates que siempre le ha costado. Sin embargo, este año la notan muy despistada y el profesor les ha enviado varias notas diciendo que su hija no entrega los deberes.

Actualmente cursa 3.º de la ESO. Acude a este instituto desde que tiene 12 años. Con los compañeros de clase se lleva bien pero nunca queda con ellos fuera de la escuela. Anteriormente fue a una escuela de los 7 a los 12 años en la que tenía muchos amigos y le motivaba mucho la dinámica del centro. De los 5 a los 7 años acudió a una escuela en Francia, de la que recuerda lo duro que fue para ella aprender el idioma.

En cuanto al ambiente familiar, muestra un buen comportamiento en casa, mostrándose colaboradora en las tareas del hogar. A veces muestra algunos celos hacia su hermano pequeño Dani, pero según relata el padre "es lo típico entre hermanos". Tiene muy buena relación con su abuela y, aunque no la ve a menudo, hablan mucho por teléfono.

Los padres se muestran arrepentidos de estar poco tiempo con su hija debido a que actualmente los dos tienen una posición en sus trabajos donde se les exigen mucho.

2. HISTORIA FAMILIAR

Noelia nació en una ciudad cercana a Barcelona, como su hermano. Tiene algunos recuerdos de su infancia temprana y sobre todo de sus queridos abuelos maternos a quienes estaba muy unida, su abuelo falleció hace 2 años. Vivió allí hasta los 5 años, hasta que la familia se desplazó a vivir a Marsella, Francia, por el trabajo del padre. A los 7 años volvieron a España y fijaron su residencia en la población que residen ahora. En ella Noelia recuerda sus años más felices. La escuela donde iba le encantaba, los maestros eran apasionados de su trabajo, tenía muchos amigos, cada tarde veía a sus abuelos maternos y la familia pasaba largas horas todos juntos en el jardín de su casa.

El genograma familiar actual de la familia de Noelia es el siguiente:

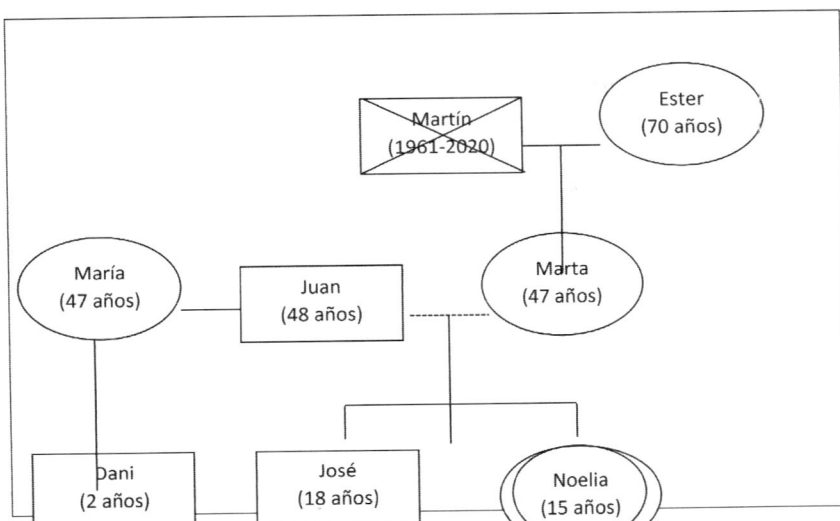

3. ANTECEDENTES MÉDICOS Y PSICOLÓGICOS PERSONALES

Noelia no padece ninguna enfermedad médica de importancia y tampoco le han tenido que realizar ninguna intervención quirúrgica. No padece ningún tipo de alergia importante, ni ambiental ni a los medicamentos. En la actualidad no toma ninguna medicación.

Es la primera vez que Noelia acude a un psicólogo. Vienen recomendados por la escuela.

4. ANTECEDENTES MÉDICOS Y PSICOLÓGICOS FAMILIARES

El abuelo de Noelia falleció por infarto de miocardio hace 2 años. Noelia tiene una prima de 8 años con epilepsia.

El padre de Noelia está diagnosticado de Trastorno por Déficit de Atención e Hiperactividad (TDAH). La madre de Noelia sufrió un Trastorno Depresivo Mayor cuando Noelia tenía 5 años. Durante 2 años acudió a terapia y tomó tratamiento farmacológico y mejoró de forma significativa, aunque en los últimos dos años, con la pérdida de su padre ha empezado a notarse más triste y sin ganas de hacer cosas. Noelia tiene un primo de 6 años con Trastorno del Espectro Autista (TEA).

5. SITUACIÓN ACTUAL

Desde que Noelia conoció a Jaime por internet, su vida cambió. Al principio, le encantaba hablar con él. Pasaban largas horas escribiéndose y enviándose *memes* sin parar de reír.

Noelia sentía que por fin tenía el amigo que siempre había deseado tener. Y es que, desde el divorcio de sus padres y desde que la familia se fue a vivir a Barcelona, se sentía muy sola. Con sus compañeros, sentía que no encajaba en el grupo, era como si ella fuera diferente a los demás y, en casa, percibía que sus padres tampoco tenían mucho tiempo para estar con ella. Su hermano, estaba en la universidad o con sus amigos, ya no era como cuando eran pequeños y jugaban juntos sin parar.

Así que, progresivamente, empezó a pasar más tiempo online, hablando con Jaime. Se daba cuenta de que empezaba a dejar apartados los estudios, pero en aquel momento le daba igual. Tampoco tenía tiempo para conocer mejor a sus compañeros de instituto y alguna vez cuando le habían ofrecido quedar, siempre decía que no podía. Jaime era la única persona importante. La única persona que existía en su mundo.

Jaime le explicaba cosas que decía que no había contado jamás a nadie y le pedía que ella le contara sus secretos más íntimos para poder conocerse mejor. Con el paso de los días, con el pretexto de que ella *"era la chica más guapa que había visto jamás"*, empezó a pedirle fotos, cada vez más subidas de tono. A ella le daba vergüenza enviárselas, pero también se sentía halagada por todos aquellos comentarios, que nunca nadie le había hecho antes.

Hubo un día en el que a ella no le apetecía enviarle ninguna foto así que decidió no enviársela. Él se enfadó tanto que empezó a insultarla a través de mensajes y audios. Asustada, Noelia se lo contó a una compañera de clase, quién le dijo: "todos los chicos son iguales, esto lo hacen todos los chicos". Así que finalmente le mandó la foto y él se calmó. Jaime nunca le pidió perdón por los insultos. Él nunca le envió ninguna foto de él.

Más adelante, Jaime se molestaba si ella no le contestaba inmediatamente el mensaje que le había enviado. Le preguntaba: "¿con quién hablas?", "¿qué haces?", "¿qué puede ser más importante que hablar conmigo?". A ella no le gustaba sentir esta presión, pero ella siempre acababa justificándolo: "es normal, quiere saber de mí", e incluso se planteaba "igual es culpa mía", "le he hecho enfadar". Noelia siempre terminaba pidiéndole perdón. Jaime le decía: "tienes que aprender".

Un día Jaime le hizo una broma pesada. Decidió trolear el perfil de *Instagram* y *TikTok* de Noelia y escribió mensajes como si fuera Noelia exponiendo sus secretos más íntimos, aquellos que ella le había contado a él confiando en que él nunca los contaría a nadie. Noelia no podía creer lo que le estaba pasando: "¿quién había podido hacer algo así?". Solo había una persona que lo sabía. Cuando entendió que era Jaime y se enfrentó a él por primera vez, él se rió: "no tienes sentido del humor" y le dijo que ella era "una persona demasiado sensible". Noelia lloró durante días al saber que todos sus compañeros se habían enterado de cosas que nunca deberían haber sabido.

Con el paso de los meses, Jaime empezó a decirle a Noelia qué contenido podía colgar en las redes sociales y qué contenido "estaba prohibido". No le gustaba que Noelia colgara fotos de ella ni tampoco de ella con algún chico. Tampoco le gustaba que nadie comentara sus fotos: "tú eres mía" y, menos, si eran chicos. Cuando pasaba, se ponía agresivo y le mandaba audios amenazándola con decir más cosas sobre ella en las redes sociales e insultándola de forma continua. Noelia sentía que valía poco y que él tenía razón: "le he hecho enfadar". Pensaba "los celos son normales, es porque me quiere", "me quiere proteger" y siempre concluía: "es culpa mía", "tengo que cambiar y hacer lo que él me dice".

En el último mes, Jaime se enfadaba mucho más a menudo, cada vez la insultaba más y las amenazas eran más serias, un día, incluso le amenazó con hacerle daño físico grave si ella no le hacía caso.

6. ENTREVISTA INDIVIDUAL

Noelia tiene una actitud colaboradora y participativa con las preguntas del profesional. Aunque en un inicio se muestra más tímida, a lo largo de la entrevista se muestra progresivamente más cómoda. Presenta un aspecto cuidado. Se encuentra orientada en tiempo, espacio y persona. Muestra una hipotimia reactiva y ligera inquietud psicomotriz. El lenguaje es coherente y fluido. No presenta ideación autolítica y tiene planes de futuro coherentes.

Durante la entrevista se observan los siguientes puntos:

- Se compara negativamente con los demás. Se desvaloriza frente a los demás.

- Siente vergüenza respecto a lo que hace y quién es.

- Se desprecia a sí misma: se siente insignificante, defectuosa. No cree que es digna de ser aceptada tal y como es.

- Duda constantemente de que pueda valerse por sí misma. Le cuesta tomar una decisión, tener iniciativa, empezar un proyecto, establecer sus prioridades.

- Tiene un sentimiento constante e irracional de culpabilidad. Cree que las cosas que le suceden son porque ella ha hecho algo, por eso tiende a disculparse por todo y se reprocha constantemente los errores.

- Actitud pasiva frente a la resolución de conflictos. Siente que es incapaz de afrontar los retos o amenazas y a menudo los evita ya que vive los conflictos con gran temor.

- Presenta una desvalorización del rol de la mujer. Tendencia al autoposicionamiento secundario frente al rol masculino.

- Sus propios valores, fantasía y afectividad se tamizan a partir de los deseos del varón. Orienta sus comportamientos en función de las demandas masculinas, reprimiendo la propia percepción de las situaciones y reduciendo la comunicación explícita e implícita de sus puntos de vista.

- Su identidad y la percepción de sí misma, de sus valores, de su corporalidad, de su estado de la existencia en el mundo, queda mermada como propia y como ser absoluto en el mundo, para concebirse con relación a "otro".

- Su sentido de la vida y su proyección, no pueden concebirse independientemente de los límites impuestos como perteneciente a un género determinado.

7. PRUEBAS PSICOMÉTRICAS

Inventario de Depresión Infantil de Beck (CDI)

El CDI es un inventario que valora sintomatología depresiva en niños y adolescentes.

El punto de corte es de 19, por lo que a partir de esa puntuación hay riesgo de presentar sintomatología depresiva.

La puntuación directa de Noelia es de 19, indicando que está en riesgo de presentar sintomatología depresiva.

Inventario del Comportamiento del Niño para padres (CBCL) y para profesores (TRF)

El CBCL y el TRF son cuestionarios que evalúan, mediante los padres y los profesores, problemas de ansiedad, depresión, aislamiento, quejas somáticas, conducta delictiva y agresiva, problemas sociales, de pensamiento y de atención.

Hay que tener en cuenta que puntuaciones iguales o superiores a 70 indican que son puntuaciones elevadas y significativas.

Las puntuaciones típicas (una vez transformadas las puntuaciones directas) obtenidas en las diferentes escalas, diferenciando las respuestas proporcionadas por los padres (CBCL) y por los profesores (TRF), son:

Escala	Puntuación típica de los padres (CBCL)	Puntuación típica de los profesores (TRF)
Ansiedad/depresión	70	75
Aislamiento	70	80
Quejas somáticas	70	50
Conducta delictiva	10	10
Conducta agresiva	15	10
Problemas sociales	60	65
Alteración del pensamiento	55	55
Inatención	65	75

Noelia presenta puntuaciones significativas en las escalas de ansiedad y depresión (referido por profesores y padres), aislamiento (referido por profesores y padres), quejas somáticas (referido por padres) y problemas de inatención (referido por maestros).

Cuestionario de Ansiedad Estado y Ansiedad Rasgo en niños (STAIC)

La prueba STAIC está destinada a medir específicamente el factor de la Ansiedad, y ofrece dos evaluaciones de la misma con 20 elementos cada una: la Ansiedad Estado (como se siente la persona en un momento determinado) y la Ansiedad Rasgo (como se siente la persona en general). No existen puntos de corte propuestos, sino que las puntuaciones directas que se obtienen se transforman en centiles en función del sexo y la edad.

La puntuación obtenida por Noelia en la escala Ansiedad Estado es de 60, se corresponde con un centil de 99 y por lo tanto es significativo. Noelia presenta sintomatología ansiosa en el momento presente. La puntuación obtenida por Noelia en la escala Ansiedad Rasgo es de 22, se corresponde con un centil de 50.

Escala de autoestima de Rosenberg (RSE)

Es una escala que evalúa la autoestima de la persona, es decir, la percepción subjetiva del valor que se tiene sobre sí mismo. Las puntuaciones que pueden obtenerse oscilan entre 10 (baja autoestima) y 40 (alta autoestima). La puntuación obtenida por Noelia es de 12 indicando baja autoestima.

8. CONCLUSIÓN

Tras la valoración global del caso, se concluye que Noelia presenta en el momento actual sintomatología ansiosa y depresiva derivada de la situación que está viviendo con su pareja. Además, presenta un patrón de baja autoestima que le hace infravalorarse frente a los demás. Afrontaremos clínicamente la situación desde la perspectiva de que Noelia se encuentra así en una relación en la que está siendo víctima de la violencia de género en las redes.

Es importante remarcar este rol debido a que a menudo este tipo de manifestaciones son la antesala de una relación de maltrato físico y psicológico o las primeras señales del establecimiento de una relación clara de dominio.

III. EVALUACIÓN FORENSE

Atendiendo a las características del caso presentado, desde el punto de vista de la psicología forense, se podría llevar a cabo una valoración de secuelas y/o del daño psicológico padecido por Noelia a raíz de las situaciones descritas. A la hora de encarar una evaluación forense, será indispensable conocer en profundidad los diversos fenómenos que se deben analizar, así como contar con la información clínica y psicopatológica necesaria. Este segundo aspecto es el que se aporta en la primera parte del caso, por lo que, a continuación, antes de entrar detalladamente al análisis forense del caso, se procederá a examinar el concepto de violencia en la pareja online, y los diversos fenómenos online expuestos en el caso.

1.   LA VIOLENCIA ONLINE EN LA PAREJA

La violencia en la pareja a través de las TIC hace referencia al conjunto de comportamientos que tienen como objetivo amenazar, controlar, aislar, intimidar o provocar un daño en el otro miembro de la pareja empleando, para tal fin, las TIC (Agustina, Montiel & Gámez-Guadix, 2020). Estos comportamientos pueden conllevar importantes consecuencias negativas para la víctima, entre las que destacan la depresión, la ansiedad, la baja autoestima o el desarrollo de síntomas propios del trastorno de estrés postraumático. Como en la mayoría de fenómenos sociales, a día de hoy no existe un consenso unificado sobre qué denominación se debe usar para referirse a la Violencia en la Pareja Online, ni sobre su definición.

En este sentido, en la literatura científica se utilizan distintos términos para referirse a un mismo fenómeno como *violencia en el noviazgo, ciberviolencia de pareja, violencia en la pareja a través de las TIC o ciberabuso en el noviazgo*. Sin embargo, a efectos del presente capítulo se denominará Violencia en Pareja Online o VPO. Del mismo modo que existe dificultad para acuñar una nomenclatura unificada del fenómeno, también se observan dificultades y diferencias entre las definiciones establecidas por los diversos autores.

Así, Zweig et al., (2013) denominan el fenómeno como abuso cibernético en el noviazgo y definen el ciberabuso sexual como presionar a la pareja para que envíe fotos sexuales o desnuda; o el envío de fotos sexuales de la pareja a otras personas sabiendo que ésta no quiere; amenazar a la pareja si no envía fotos sexuales o desnuda; envío de mensajes de texto, mail o chats para mantener sexo o participar en actos sexuales con la pareja contra su voluntad. Por su parte, Leisring y Giumetti (2014) denominan el fenómeno como ciberabuso psicológico y lo definen atendiendo a dos tipologías. El ciberabuso menor implicaría insultar, dejar abruptamente de enviar mensajes o correos electrónicos durante una discusión, la utilización de letras mayúsculas para gritar, conseguir contraseñas revisando el correo electrónico, mensajes del teléfono móvil o mensajes de las redes sociales. Por otro lado, identifican el ciberabuso severo que implicaría amenazar, enviar correos electrónicos a otros sobre la pareja para humillarla o avergonzarla, la publicación de fotos inapropiadas de la pareja o de información comprometida para humillarla (Leisring & Giumetti, 2014).

Por otro lado, Smith et al., (2018) definen la violencia de pareja online como un tipo de violencia online en la cual el perpetrador puede difundir información perjudicial sobre la víctima en un corto periodo de tiempo a una elevada audiencia, así como también puede contactar con la víctima en cualquier momento (Smith et al., 2018), y Caridade et al., (2020). Estos autores postulan que la violencia de pareja online es una forma de victimización practicada a través del uso de las TIC, que consiste en una forma de control y acoso por parte de la pareja. Para estos autores, la VPO es considerado como un constructo multidimensional, que puede implicar múltiples conductas abusivas a través de prácticas digitales. Ejemplos de ello serían el control diario y la vigilancia de la pareja o expareja, el evitar o publicar comentarios ofensivos o humillantes, el envío de correos electrónicos o mensajes que contengan diferentes amenazas o el publicar imágenes integrando diferentes tipologías abusivas (Caridade et al., 2020). Finalmente, Cava et al., (2020) definen la violencia de pareja online como las conductas de control, acoso, amenazas, acecho y abuso dentro de la pareja a través de la tecnología y las redes sociales.

2. TIPOLOGÍAS DE VIOLENCIA

En cuanto a las tipologías de violencia en la pareja online y las diversas conductas que se enmarcan dentro del fenómeno, Calvete et al., (2018) identifican los siguientes tipos:

1. *Agresión directa.* La agresión directa incluye insultos, amenazas, chantajes o textos que tienen como objetivo hacer sentir mal a la víctima, provocarle un daño o conseguir algo de ella. Estas conductas se manifiestan a través de alusiones denigrantes a características personales, coacciones o comportamientos para menoscabar la autoestima de la víctima.

2. *Control de la pareja a través de las TIC.* Las formas más frecuentes de control consisten en vigilar el comportamiento de la pareja en redes sociales o sistemas de mensajería (p.ej., a quién agrega a redes sociales, con quién se comunica, qué dice o hace) y usar la contraseña de diferentes aplicaciones de la pareja –correo electrónico, redes sociales, etc.– para vigilar sus comunicaciones o prohibirle que se comunique con alguien.

3. *Abuso interpersonal o relacional.* El abuso interpersonal tiene como objetivo humillar públicamente a la pareja a través de Internet. Una forma de llevar a cabo esta humillación es publicar información o imágenes de la víctima en una situación comprometida o humillante para ella. Un ejemplo es la denominada "pornovenganza" (*revenge porn*), en la que se hacen públicos contenidos sexuales de la pareja como una forma de venganza. Dadas las características de Internet (rápida difusión,

fácil acceso), esta forma de abuso puede tener un gran alcance y provocar un daño continuado, puesto que puede resultar difícil eliminar de la red las imágenes o información sensibles que han sido divulgadas sin el consentimiento de la víctima. Otra forma de abuso interpersonal consiste en excluir o aislar a la víctima de grupos online o listas de amigos, como una forma de limitar su interacción con otras personas.

4. *Comunicación insidiosa a través de las TIC.* Esta modalidad se materializa a través de un número considerable e invasivo de llamadas, comunicaciones o mensajes de texto dirigidos a la pareja. Estas comunicaciones son percibidas por la víctima como una invasión de su espacio personal y su intimidad.

5. *Abuso o acoso sexual online.* El abuso o acoso sexual en la pareja implica comportamientos como el envío de textos o imágenes con contenidos sexuales que la pareja no desea recibir. También incluye la insistencia y/o coacciones para que la pareja envíe fotos o videos sexuales de sí misma.

Una vez definido el fenómeno y sus modalidades, cabe señalar que la violencia de pareja online es un creciente problema entre los adolescentes (Cava et al., 2020). Según estos autores, la violencia de pareja online es un problema de salud pública en aumento ya que los adolescentes constantemente utilizan las tecnologías de la información y la comunicación (TIC) en su vida cotidiana, incluidas sus relaciones interpersonales (Cava et al., 2020). Actualmente los teléfonos inteligentes son un elemento imprescindible en la vida social de los adolescentes y jóvenes de todo el mundo, lo que significa que el mundo virtual es cada vez más importante en sus vidas (Cava et al., 2020). Los adolescentes y jóvenes utilizan las tecnologías de la comunicación para iniciar, mantener y poner fin a las relaciones amorosas. Estas tecnologías de la comunicación facilitan los vínculos afectivos con parejas románticas, pero también pueden ser usados para perpetrar violencia en el noviazgo (Cava et al., 2020).

En cuanto a la frecuencia de las conductas de VPO, las investigaciones realizadas muestran que una proporción significativa de adolescentes se encuentran en relaciones de noviazgo en las que el control, el acoso, el acecho y el abuso online son comunes (Zweig et al., 2013). Se estima que entre el 12 y el 56% de los adolescentes hacen frente a la violencia de pareja online (Stonard et al., 2017; Cava et al., 2020). Por otro lado, Borrajo & Gámez-Guadix (2015) a través de su investigación muestran que aproximadamente la mitad de los participantes indicaron que habían sido víctimas de algún tipo de violencia de pareja online, sin que se hallaran diferencias significativas entre hombres (51,6%) y mujeres (50,4%)

(Borrajo & Gámez-Guadix 2015). En este sentido, un 17% de los participantes reconocieron que su pareja había usado sus contraseñas para leer
sus mensajes privados y más del 80% de los jóvenes sometidos a estudio
estaban involucrados en comportamientos de control hacia sus parejas y
el 20% estaban involucrados en algún tipo de comportamiento agresivo
online (Borrajo & Gámez-Guadix 2015).

3. ASPECTOS ÉTICOS Y DEONTOLÓGICOS EN LA EVALUACIÓN

Una vez se ha enmarcado a nivel teórico el fenómeno objeto de estudio, queremos reseñar que se deberán tener en cuenta los aspectos éticos
y deontológicos antes de realizar la evaluación forense. Dichos aspectos,
regulados en el Código Deontológico de los Psicólogos en el caso de la
psicología forense, se abordan en el capítulo sobre las diferencias entre la
actuación asistencial y la forense y el capítulo sobre aspectos deontológicos.

En el presente caso, y atendiendo a que Noelia es menor de edad, deberemos tener en cuenta además el principio de la mínima intervención,
según el cual sólo se llevarán a cabo aquellas intervenciones que sean
estrictamente necesarias para poder dar respuesta a los objetos de pericia
planteados. Por otro lado, y aunque no estemos ante un supuesto en el
ámbito Civil-Familia, se deberá tener en cuenta que los progenitores de
Noelia, según consta en el genograma familiar, están separados, por lo
que deberemos valorar quién de los dos progenitores realiza la solicitud,
y si el otro progenitor se muestra conforme. En el caso de que la solicitud
la realice uno de los dos progenitores, es importante tener en cuenta que
el Código Deontológico del Colegio Oficial de Psicólogos de Catalunya
(COPC) establece que se puede realizar la evaluación pericial forense "sin
el consentimiento de uno de los dos progenitores, aunque el perito tiene el
deber de informar al progenitor no solicitante del proceso de evaluación".

4. FACTORES DE LA EVALUACIÓN FORENSE

4.1. Objeto de pericia

Introducidos los conceptos teóricos sobre los que se asentará el caso,
se puede proceder a la recogida de información y a la evaluación forense.
Para poder llevar a cabo una evaluación forense concreta y detallada,
tendremos que definir en primer lugar cuál va a ser el objeto de pericia. En este caso, y teniendo en cuenta lo mencionado anteriormente, el
objeto de pericia sería solicitar llevar a cabo una evaluación del estatus

psíquico, psicopatológico y personalidad de Noelia, de 15 años de edad, así como valoración del impacto psicológico que los hechos denunciados hubieran podido tener en la menor.

4.2. Consideraciones metodológicas

En relación al objeto de la pericia, se debe proceder a establecer la *metodología* que se va a utilizar para dar respuesta a dicho requerimiento. En este sentido, y atendiendo de nuevo a los principios éticos y deontológicos, "el perito deberá velar y poder acreditar que las técnicas de evaluación utilizadas son las adecuadas para el caso concreto, que son válidas y fiables, y que son las más actualizadas desde un punto de vista científico-técnico". Asimismo, el perito deberá velar por que la metodología utilizada le ayude a dar respuesta a los objetos de pericia planteados, y que no existan intervenciones innecesarias o de poco valor forense.

4.3. Preguntas

En el presente caso, recordemos que debemos responder a las siguientes preguntas:

¿Cuál es el estado psíquico, psicopatológico y la personalidad de Noelia?

En el caso de que lo hubiera, ¿Cuál es el impacto psicológico derivado de los hechos denunciados?

4.4. Metodología

Para dar respuesta a las preguntas planteadas, intervendremos de forma orientativa con la siguiente metodología:

A. *Con los progenitores de Noelia:*

– Anamnesis y recogida de información mediante entrevista informativa.

– Administración de la prueba psicométrica SENA Familia, en relación al estado emocional de Noelia percibido por los progenitores.

B. *Con Noelia:*

– Sesiones de exploración (2 o 3 en función de la vinculación que presente) mediante entrevista forense.

- Evaluación psicopatológica (valoración de sintomatología y observación directa).
- Administración de pruebas psicométricas.
- SENA Autoinforme.
- TAMAI.

C. *Con el colegio:*

- Coordinación profesional.
- Administración del SENA Escuela, en relación al estado emocional de Noelia percibido por el centro escolar.

D. *Otras fuentes de información:*

- Lectura de las pruebas aportadas al procedimiento judicial.
- Coordinación profesional con los psicólogos y/o médicos que hayan intervenido a nivel clínico.

En este caso concreto, la metodología seleccionada permitirá conocer los datos biográficos y del desarrollo en relación a Noelia por parte de sus progenitores y permitirá llevar a cabo la evaluación directa de Noelia mediante la entrevista forense, así como evaluar los aspectos psicopatológicos que pudieran estar presentes.

En cuanto a las pruebas psicométricas seleccionadas, se han escogido las pruebas SENA y TAMAI. El SENA es un instrumento dirigido a la detección de un amplio espectro de problemas emocionales y de conducta desde los 3 hasta los 18 años como la depresión, ansiedad, sintomatología postraumática, impulsividad, problemas de la conducta alimentaria o consumo de sustancias psicoactivas. Asimismo, permite detectar áreas de vulnerabilidad que predisponen al evaluado a presentar problemas más severos, y, por último, evalúa la presencia de varios recursos psicológicos que actúan como factores protectores ante diferentes problemas y que pueden utilizarse para apoyar la intervención. A parte del amplio espectro de problemáticas evaluadas por el SENA, es una prueba recomendable en la evaluación infanto-juvenil en el ámbito forense ya que incluye escalas de validez y control, y, además, permite su administración de forma simultánea al menor (resultados auto-reportados), a los progenitores, y al centro escolar, lo que permite valorar si las problemáticas detectadas por el entorno del menor lo son también por el propio menor o viceversa.

Por otro lado, el TAMAI es un test ampliamente utilizado para la evaluación de niños y jóvenes a partir de los 8 años de edad, que está destinado a la apreciación del grado de adaptación, ofreciendo la posibilidad de distinguir unos subfactores que se asocian entre sí formando conglomerados o clústeres que permiten determinar las raíces de la inadaptación. También incluye la evaluación de las actitudes educadoras de los padres, y presenta escalas de control que permiten controlar la sinceridad de las respuestas proporcionadas.

En este punto, es importante resaltar que, en el ámbito de la psicología forense, la *evaluación infanto-juvenil supone un reto* añadido a la propia evaluación forense, ya que se cuentan con un menor número de instrumentos psicométricos estandarizados y validados para evaluar aspectos específicos de los menores. A modo de ejemplo, si la persona evaluada (Noelia, en este caso) fuera mayor de edad, se le podrían administrar pruebas más específicas como el CIT (Cuestionario de Impacto del Trauma) o el EGEP-5 (Escala de Gravedad de Síntomas del Estrés Postraumático) o incluso el inventario de Simulación de Síntomas (SIMS) diseñado para descartar la simulación en el ámbito forense, aunque en el presente caso al contar con 15 años de edad, la administración se debe limitar a instrumentos diseñados para menores de edad, sin poder acceder a herramientas más específicas.

Finalmente, y para terminar con la metodología escogida, las coordinaciones profesionales con el colegio y con los psicólogos o médicos que hayan podido intervenir en el caso de Noelia nos permitirán corroborar datos obtenidos en nuestra exploración, y realizar un intercambio de opiniones profesionales que podrán ayudarnos a validar o descartar nuestras hipótesis de trabajo.

5. RESUMEN DE LOS DATOS BIOGRÁFICOS DE INTERÉS (ANAMNESIS)

Siguiendo con la estructura del informe pericial, el siguiente aspecto a exponer en el informe serían los *datos biográficos de interés o anamnesis*, que se presenta en este caso como la información recogida por la psicóloga en Historia del Neurodesarrollo, Historia Familiar, Antecedentes propios y Antecedentes Familiares. Seguidamente, en el informe se incluiría un apartado de Antecedentes de los Hechos o Resumen de los Hechos, donde se expondrían los datos recabados en el presente caso bajo el título "Situación Actual".

6. RESULTADOS

Posteriormente, se llevaría a cabo el apartado de *Resultados*. Dentro de resultados, se deberá distribuir la información recabada siguiendo la metodología planteada. Por un lado, se expondrán *los resultados derivados de la entrevista forense y la evaluación psicopatológica*. Más allá de la información recabada en el apartado *"Entrevista Individual"*, para la evaluación psicopatológica deberíamos contar con la siguiente información:

- Manifestaciones conductuales: ¿Cómo es el lenguaje no verbal? ¿Qué indicadores físicos se observan?

- Capacidades intelectivas: atención, memoria, procesamiento, comprensión, etc.

- Sintomatología psicopatológica:

    - Sintomatología depresiva: llanto, tristeza, pérdida de interés, apatía, etc.

    - Sintomatología ansiosa: hiperactivación, nerviosismo, tensión, irritabilidad, angustia, etc.

    - Sintomatología postraumática: flashbacks, pensamientos intrusivos, pesadillas, comportamientos evitativos, hiperactivación, etc.

    - Sintomatología somática: síntomas físicos de origen psíquico (fatiga, falta de energía, dolores de cabeza, dolores de estómago, sensación de ahogo, problemas gastrointestinales, problemas urinarios, problemas en la esfera sexual, etc.).

- Otros síntomas psicopatológicos relevantes: sueño, alimentación, consumo de sustancias, etc.

- Duración de la sintomatología psicopatológica detectada (desde cuando se presentan los síntomas). Es posible que la persona evaluada no sepa contextualizar la aparición de la sintomatología, por lo que las coordinaciones profesionales y las entrevistas informativas serán de gran utilidad para establecer el criterio temporal.

- Rasgos de personalidad: la evaluación de los rasgos de personalidad de la persona explorada será indispensable en el ámbito forense por varios motivos. En primer lugar, para descartar la presencia de manipulación por parte del evaluado, y, en segundo lugar, porque determinados rasgos de personalidad (como por ejemplo los rasgos dependientes) pueden suponer una vulnerabilidad añadida por parte de la víctima, lo cual se deberá tener en cuenta en las conclusiones alcanzadas.

— Nexo causal entre la psicopatología observada y los hechos denunciados (elementos que demuestren que los hechos descritos son causantes de la patología observada). En este sentido, en ocasiones es difícil establecer el nexo causal entre la sintomatología y los hechos descritos, por lo que habrá que valorar si existen antecedentes psicopatológicos previos a los síntomas actuales y en caso afirmativo a qué se deben. Por otro lado, la sintomatología postraumática permite establecer de forma más clara la presencia de un nexo causal, ya que los síntomas nucleares de la patología (pesadillas, flashbacks, pensamientos intrusivos) suelen ser en relación al hecho traumático.

— Valoración de la simulación: el análisis y la detección de la mentira, la fabulación o la maximización/minimización de síntomas serán aspectos fundamentales de la evaluación forense.

7. RESUMEN EXPLORACIÓN PSICOPATOLÓGICA

En este apartado, se incluiría toda la información recabada en el punto anterior. En este caso concreto, sería:

Noelia, de 15 años de edad, acude correctamente aseada y vestida. Se observa que está consciente y orientada, tanto temporal como espacialmente. Se muestra colaboradora, y contesta a las preguntas formuladas de forma clara y coherente. De forma estimativa, Noelia presenta un nivel de inteligencia dentro del rango de la normalidad y no se aprecian síntomas de deterioro cognitivo. No se aprecian alteraciones en el curso ni en el contenido del pensamiento, ni ideación paranoide. Se observan manifestaciones de sintomatología ansioso-depresiva, sentimientos de vergüenza y sintomatología postraumática a lo largo de las sesiones de exploración.

En las exploraciones practicadas se detecta la presencia de labilidad emocional, llanto, sentimientos de vergüenza, ansiedad y angustia. La menor refiere que algunos días es capaz de distraerse llevando a cabo diversas actividades y se encuentra mejor, pero que el resto del tiempo se encuentra decaída, triste, irritable y con sentimientos de ira que no sabe gestionar. Manifiesta que desde que sucedieron los hechos presenta conductas evitativas especialmente en relación al uso del móvil.

En este sentido, se observa predominancia de sintomatología relacionada con trastornos del estado de ánimo, y, en concreto se valora la presencia de síntomas ansioso-depresivos. Sobre la sintomatología ansiosa, se observa que la menor presenta angustia, agitación, tensión, nerviosismo, sensación de ahogo, sensación de presión en el pecho y sensación de peligro, con síntomas de hiperactivación y alerta ante estímulos desconocidos, que cursan a su vez con una gran irritabilidad y un estado de ánimo triste, apático y decaído. Se detecta una baja autoestima, así como desprecio y culpabilización por los hechos.

En cuanto a la sintomatología postraumática en relación a los hechos relatados, se detectan especialmente síntomas intrusivos y de evitación, como flashbacks, pesadillas y re experimentación. La menor relata que de forma frecuente tiene recuerdos y pensamientos relacionados con los hechos que la invaden y le impiden concentrarse y dormir. La sintomatología mencionada estaría generando en la menor elevados sentimientos de malestar, dificultad para concentrarse y alteración del sueño, y estaría interfiriendo en el desarrollo de su vida cotidiana.

A modo de *resumen*, la sintomatología observada en Noelia es la siguiente:

1. Sintomatología postraumática:

   Predominancia de síntomas intrusivos y evitativos.

2. Sintomatología ansioso-depresiva:

   – Síntomas predominantes de ansiedad: angustia, agobio, sensación de ahogo, nerviosismo.

   – Síntomas predominantes de depresión: tristeza, apatía, decaimiento, llanto, sentimientos de culpa.

   – Alteración de la capacidad de concentración

3. Alteraciones conductuales:

   – Predominancia de afectación del sueño.

De las exploraciones realizadas se extrae que, a raíz de las vivencias relatadas por la menor, Noelia presentaría sintomatología ansioso-depresiva, que cursa con sintomatología congruente con un trastorno de estrés postraumático. Toda la sintomatología observada y descrita anteriormente está generando en la menor un elevado malestar, y está interfiriendo en su adecuado desarrollo psicoemocional, social y escolar, y puede tener consecuencias negativas en el desarrollo futuro de la menor. De las exploraciones realizadas se extrae que toda la sintomatología mencionada no estaba presente previo a los hechos verbalizados por la menor, y habría aparecido de forma posterior a los hechos. Teniendo en cuenta la gravedad del cuadro clínico, es de vital importancia que Noelia pueda seguir un tratamiento psicológico adecuado que ayude a evitar que la sintomatología presente en el momento actual pueda evolucionar en un trastorno psicopatológico grave.

8. PRUEBAS PSICOMÉTRICAS

Además de la exploración psicopatológica se expondrán los resultados derivados de la administración de las pruebas psicométricas.

En este caso concreto, a continuación, se exponen los resultados relativos al SENA Autoinforme y al TAMAI ambos realizados por Noelia. Se deberán exponer las puntuaciones obtenidas y las interpretaciones y valoraciones que el perito hace de los resultados obtenidos, en relación con la información recabada en las otras actuaciones.

Del análisis del SENA Autoinforme (12-18 años): las puntuaciones obtenidas por Noelia indican que ha respondido de forma coherente a las preguntas, sin dificultades para prestar atención al contenido de los ítems. Los resultados en las escalas de control indican que el perfil es interpretable, y que la menor ha respondido con sinceridad a los ítems. Las puntuaciones por encima de $T = 70$ indicarían la presencia de dificultades, problemas o rasgos psicopatológicos en la persona evaluada.

Índices globales: Las puntuaciones de los siguientes índices globales del SENA se encuentran por encima de la media: Índice Global de Problemas, Índice de Problemas Emocionales, Índice de problemas en las funciones ejecutivas e Índice de problemas contextuales. Estas puntuaciones sugieren que Noelia valora la existencia de problemas generalizados en las diferentes esferas de su vida.

Escalas de problemas: en la Escala de Problemas Interiorizados Noelia obtiene puntuaciones elevadas en las siguientes escalas: Depresión ($T = 80$), Ansiedad ($T = 71$), Quejas Somáticas ($T = 77$) y Sintomatología Postraumática ($T = 89$) indicando que la menor considera presentar dichas patologías y otorgándoles un grado elevado de gravedad. Las puntuaciones obtenidas serían congruentes con los resultados de la exploración psicopatológica. En la escala de Problemas Exteriorizados y Otros problemas, Noelia obtiene puntuaciones altas en las siguientes escalas: Inatención ($T = 73$) y Problemas en la Conducta Alimentaria ($T = 73$). Finalmente, en las escalas de Problemas Contextuales, obtiene puntuaciones elevadas en Problemas Familiares ($T = 92$) y Problemas con la escuela ($T = 77$).

Escalas de vulnerabilidades: los resultados obtenidos en estas escalas reflejan que la menor considera no tener dificultades en cuanto a la regulación emocional y la búsqueda de sensaciones.

Escalas de recursos personales: en esta escala se obtienen puntuaciones cercanas a la media, indicando que Noelia presenta una adecuada competencia social y conciencia de los problemas que presenta, aunque obtiene una puntuación baja en la escala de Autoestima.

En cuanto a la presencia de *ítems críticos*, la menor ha respondido de la siguiente manera:

1. *Riesgo de autolesión:*

   - Sufro mucho (siempre o casi siempre)

   - Quiero morirme (muchas veces)

   - Pienso que mi vida no tiene sentido (muchas veces)

2. *Estresores traumáticos:*

   - Me vienen imágenes desagradables de cosas que me han pasado (siempre o casi siempre)

   - Me han pasado cosas horribles (siempre o casi siempre)

3. *Sensación de peligro:*

   - Tengo miedo de quedarme a solas con alguna persona (siempre o casi siempre)

4. *Petición de ayuda:*

   - Hay cosas que van mal en mi vida y necesitaría ayuda (siempre o casi siempre)

   - Lo estoy pasando mal y necesitaría que me ayudaran (siempre o casi siempre)

5. *Riesgos relacionados con la imagen corporal y la conducta alimentaria:*

   - Creo que mi cuerpo es horrible (muchas veces)

   - Odio algunas partes de mi cuerpo (siempre o casi siempre)

6. *Indicadores inespecíficos de problemas:*

   - Me despierto por la noche con pesadillas (muchas veces)

   - Duermo mal (siempre o casi siempre)

Del análisis del TAMAI:

En los resultados obtenidos por Noelia se valora la presencia de puntuaciones medio-altas en las escalas de Inadaptación General, Inadaptación Escolar e Inadaptación social, y puntuaciones Altas en Inadaptación Personal. De forma específica, dentro de la escala de Inadaptación Personal destacan puntuaciones altas en Insatisfacción Personal y Desajuste Afectivo, y puntuaciones altas en Depresión y Cogniafección. Estas puntuaciones indican que Noelia no se siente a gusto consigo misma, y presenta temor a ser infravalorada y una baja autoestima con síntomas de tristeza y sentimientos de culpabilidad. En cuanto a la Inadaptación Escolar, destacan las puntuaciones obtenidas en Hipomotivación e Hipolaboriosidad, indicando que en momento actual Noelia no se encuentra plenamente satisfecha con la fase de aprendizaje en la que se encuentra y presenta una baja motivación por el ámbito escolar. Asimismo, en relación a las puntuaciones de la escala Inadaptación Social, se obtienen puntuaciones elevadas en Disnomia, y en Restricción Social, que indican que Noelia presenta tendencia a aislarse e interactuar con poca gente, siendo estos resultados congruentes con el resto de las exploraciones practicadas.

En cuanto a las puntuaciones relativas al ámbito familiar, obtiene una puntuación Alta en la escala de Insatisfacción con el Ambiente Familiar, siendo esta puntuación congruente con la idea de que Noelia se sentía triste y desvinculada de la esfera familiar. Finalmente, en cuanto a la educación recibida por sus progenitores, Noelia considera que la Educación recibida por parte ambos progenitores es adecuada, aunque destaca una puntuación media en Marginación Afectiva, que sería congruente con su percepción de que su familia no le prestaba atención.

Posteriormente, se introduciría la información recabada de las coordinaciones profesionales, así como los resultados de las pruebas realizadas por los progenitores de Noelia, y por los profesionales, con el objetivo de integrar el conjunto de la información recogida.

9. VALORACIÓN Y CONSIDERACIONES FORENSES

A continuación, y antes de finalizar el informe con las conclusiones alcanzadas, se establecen las consideraciones forenses. En el caso de Noelia, las consideraciones forenses se realizarían sobre las conductas de violencia en la pareja detectadas en el caso actual, y se valoraría qué sintomatología es la que la doctrina científica ha encontrado frecuentemente vinculada a la violencia en la pareja online, con el objetivo de poder valorar si la sintomatología observada en Noelia es compatible con aquellas consecuencias psicológicas que la doctrina científica establece en los casos de victimización por violencia en la pareja online.

10. CONCLUSIONES

Finalmente, y tras haber integrado toda la información recogida a lo largo de la evaluación pericial, se establecerían las conclusiones periciales. Es importante señalar que el psicólogo forense se debe limitar a concluir sólo sobre aquellos aspectos que son objeto de su pericia, sin poder concluir sobre otros aspectos que no se le hayan solicitado.

En este caso concreto, y aunque falta información de tipo forense para poder concluir de forma taxativa respecto de los objetos periciales planteados, en base a la información disponible de la evaluación clínica se desprenden, a modo de ejemplo, las siguientes conclusiones:

1. En relación al estado emocional, psicopatológico y personalidad de Noelia, de 15 años de edad, se valora que en el momento actual Noelia presenta *sintomatología ansioso-depresiva* que sería compatible con la presencia de un *Trastorno Adaptativo Mixto Ansioso-Depresivo*, y sintomatología congruente con un Trastorno de Estrés Postraumático vinculado a los hechos vivenciados. Asimismo, presenta una baja autoestima y una dependencia tecnológica que estarían *generando una alteración de su funcionamiento cotidiano.*

2. Siguiendo las manifestaciones versadas en el párrafo anterior, e integrando la información recaba, se considera que Noelia presenta una serie de factores ambientales y psicosociales (separación parental, ausencia de atención parental, desmotivación escolar, ausencia de relaciones interpersonales sólidas) que generan en la menor *una especial vulnerabilidad ante las agresiones externas, especialmente ante agresiones en el ámbito afectivo e interpersonal.*

3. Se ha podido observar *una relación causal entre el estado psicopatológico que presenta Noelia y las vivencias derivadas de los hechos a los que presuntamente estuvo expuesta.* La sintomatología observada en la menor es compatible con lo especificado en la doctrina científica como consecuencias a corto y largo plazo de víctimas de violencia en la pareja online y es congruente con los hechos relatados por la menor.

4. Por todo ello, se considera que las vivencias relatadas por Noelia le estarían generando un impacto psicológico negativo, de gravedad moderada, que está interfiriendo en su adecuado desarrollo y

funcionamiento psicosocial, con alteraciones emocionales, conductuales, escolares y sociales. Por ello, sería recomendable que la menor siga siendo intervenida psicológicamente, con una frecuencia elevada para trabajar la sintomatología existente y evitar la posible cronificación de la sintomatología detectada.

Finalmente, una vez establecidas las conclusiones alcanzadas, el perito deberá incluir el juramento propuesto en el artículo 335.2 de la LEC: "De acuerdo con lo preceptuado en el artículo 335.2 de la LEC, manifiesto bajo juramento que al emitir el presente dictamen he actuado con la mayor objetividad posible, y que he tomado en consideración tanto lo que pueda favorecer como lo que sea susceptible de causar perjuicio a cualquiera de las partes, y que conozco las sanciones penales en las que podría incurrir si incumpliera mi deber como perito", y, a continuación, deberá incluir la fecha de cierre y firmar el informe pericial, dando así por finalizada su laboral de evaluación forense, y emisión del dictamen pericial, a esperas de ratificar el contenido del dictamen en sala judicial, si así fuese requerido.

IV. BIBLIOGRAFÍA

Agustina, J. R., Montiel, I., & Gamez-Guadix, M. (2020). Cibercriminología y Victimización Online (Cibercriminology and Online Victimization). *Pirámide: Madrid, Spain.*

Borrajo, E., & Gámez-Guadix, M. (2015). Cyber Dating Abuse: Prevalence, Context and Relationship With Offline Dating Aggression. *Psychological Reports*, 116(2), 565-585.

Borrajo, E., Gámez-Guadix, M., Pereda, N., & Calvete, E. (2015). The development and validation of the cyber dating abuse questionnaire among young couples. *Computers in Human Behavior*, 48, 358-365.

Calvete, E., Fernández-González, L., Orue, I., & Little, T. D. (2018). Exposure to family violence and dating violence perpetration in adolescents: Potential cognitive and emotional mechanisms. *Psychology of violence*, 8(1), 67.

Caridade, S., e Sousa, H. F. P. & Dinis, M. A. P. (2020). Cyber and offline dating abuse in a Portuguese sample: Prevalence and context of abuse. *Behavioral Sciences*, 10(10), 152.

Cava, M., Carrascosa, S. & Ortega-Baron, J. (2020). Relations Among Romantic Myths, Offline Dating Violence Victimization and Cyber Dating Violence Victimization in Adolescents. *International Journal of Environmental Research and Public Health*, 17.

Committee on the Revision of the Specialty Guidelines for Forensic Psychology (2011). *American Psychologist*. [Disponible en: http://www. apadivisions.org/division-41/about/specialty/guidelines.pdf] 0003-066X/12/$12.00 Vol. 68, No. 1, 7-19.

Leisring, P. A., & Giumetti, G. W. (2014). Sticks and stones may break my bones, but abusive text messages also hurt. *Partner Abuse*, 5(3), 323-341.

Smith, K., Cénat, J. M., Lapierre, A., Dion, J., Hébert, M., & Côté, K. (2018). Cyber dating violence: Prevalence and correlates among high school students from small urban areas in Quebec. *Journal of affective disorders*, 234, 220-223.

Stonard, K. E., Bowen, E., Walker, K., & Price, S. A. (2017). "They'll always find a way to get to you": Technology use in adolescent romantic relationships and its role in dating violence and abuse. *Journal of interpersonal violence*, 32(14), 2083-2117.

Torres, I. (2002). Aspectos éticos en las evaluaciones forenses. *Revista de Psicología*. Universitas Tarraconensis, 24, 58-93.

Zweig, J. M., Dank, M., Yahner, J., & Lachman, P. (2013). The rate of cyber dating abuse among teens and how it relates to other forms of teen dating violence. *Journal of youth and adolescence*, 42(7), 1063-1077.

Violencia de género física y económica en la edad adulta

Iris Crespo martín

Universitat Internacional de Catalunya

Carles Martin Fumadó

Universitat Internacional de Catalunya

I. INTRODUCCIÓN O RESUMEN DEL CASO

El presente capítulo describe el caso de Josefa, una mujer de 82 años afectada de deterioro cognitivo que acude a diario a un centro de día. El personal del centro detecta una falta de cuidados y la trabajadora social identifica una complicada situación económica respecto al patrimonio de la paciente, así como lesiones. El entorno asistencial se organiza para prestarle el soporte necesario y alertar a las figuras relevantes de su entorno. A nivel forense se evaluará tanto la posibilidad de violencia física como económica, analizando las lesiones, el relato y los indicadores de riesgo biopsicosocial.

II. CASO CLÍNICO

1. PRESENTACIÓN

Josefa es una mujer de 82 años, viuda desde hace 5 años. Siempre ha residido en la ciudad de Barcelona, tiene un nivel de escolaridad pre-universitaria y ha trabajado como costurera, pero sin un contrato regulado. Su sustento económico actual es la pensión de viudedad asignada tras la muerte de su marido. Vive junto con su nieto de 34 años en un piso que tiene en propiedad. Desde hace dos meses, de lunes a viernes acude a un centro de día (de 9 a 17h). La recomendación de contratar los servicios de un centro de día geriátrico fue sugerida por el médico de cabecera al observar en ella un deterioro leve de las funciones cognitivas y al evidenciar en los últimos análisis algunos signos de mala nutrición, como anemia y albúmina baja. En un principio, su nieto, que vive con ella y que asume el rol de cuidador principal, se negó a aceptarlo. Todo cambió el día que Josefa provocó accidentalmente un pequeño incendio en la cocina al dejar aceite hirviendo al fuego demasiado tiempo. Aquel día Josefa estaba sola en casa y su nieto estaba trabajando. Por suerte, Josefa avisó al vecino de enfrente y éste pudo ayudarle a extinguir el fuego antes de que se propagara. Tras el incidente, la hermana de Josefa con la que tiene muy buena relación convenció al nieto de la necesidad de buscar un centro de día en el que Josefa pudiera estar atendida las horas que él tiene que estar en el trabajo.

2.   ANTECEDENTES E HISTORIA PERSONAL

Josefa nació en un pequeño pueblo, pero a los 6 años se mudó a una gran ciudad junto a sus padres y a su hermana menor. Se casó con Sebastián, su marido, cuando tenía 20 años. Estuvieron casados durante 58 años. Siempre fueron un matrimonio sólido y con alta solvencia económica debido principalmente al trabajo de su marido como ingeniero eléctrico. Ella trabajó durante años como costurera, realizaba el trabajo de forma autónoma y desde casa, de modo que lo pudo compatibilizar con el cuidado de sus hijos. El matrimonio tuvo dos hijos: Antonio y Jorge. Su marido murió con 78 años a causa de un cáncer de vejiga.

En esta imagen puede verse el genograma actual de la familia de Josefa:

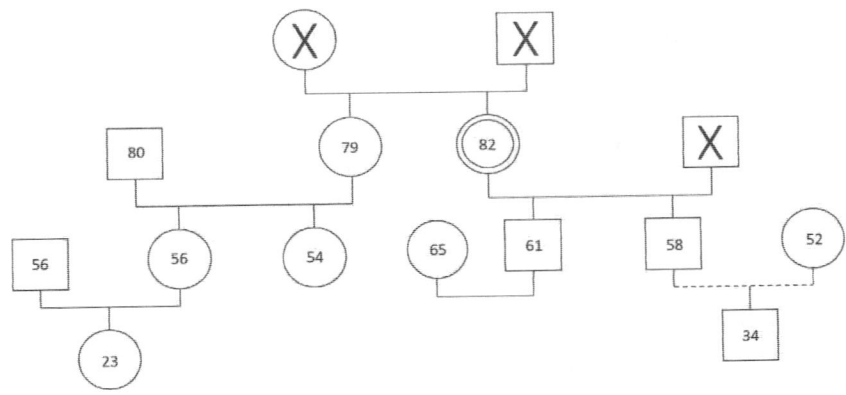

Los padres de Josefa murieron bastante jóvenes, primero murió su padre de un infarto a los 57 años y su madre murió tres años más tarde de un tromboembolismo pulmonar. Fue un momento muy duro en la vida de Josefa pues estaba muy unida a sus padres. Un año después de la muerte de su madre, a Josefa le diagnosticaron un trastorno por duelo persistente. Recibió tratamiento farmacológico, pero se negó a hacer psicoterapia. Desde entonces, Josefa toma medicación para la sintomatología depresiva.

Josefa tuvo su primer hijo con 21 años. El hijo mayor de Josefa está casado, pero no tiene descendencia. Su hijo mayor ha trabajado toda su vida como gerente de un hotel y un complejo de apartamentos. Estudió Económicas y, antes de que pudiera acabar la carrera, su padre le puso en contacto con una empresa de gestión hotelera para la que él mismo había trabajado. Desde entonces, su hijo mayor siempre había trabajado en ese sector hasta que a los 57 años sufrió un ictus que lo mantuvo en coma varios días. Aunque estuvo en estado crítico, finalmente consiguió sobrevivir, pero padece graves secuelas a nivel motor y cognitivo, principalmente a nivel de lenguaje. Esto obliga a su mujer a atenderlo las 24h del día. La situación actual de su hijo mayor y la mala relación de Josefa con su nuera hacen que Josefa tenga muy poco contacto con él y que éste no se implique de ningún modo en el cuidado de su madre.

Su hijo menor nunca se ha casado ni ha conseguido tener estabilidad a nivel laboral ni a nivel de pareja. Desde su más temprana adolescencia, tiene problemas por consumo excesivo de alcohol y drogas. En los últimos años, no ha mantenido un mismo trabajo más de 6 meses. Josefa ha tenido que ayudar económicamente a su hijo menor muchas veces. Su hijo menor visita a Josefa habitualmente, aunque casi siempre con intención de obtener a cambio comida o dinero. La relación entre los dos hijos de Josefa es mínima.

Cuando su hijo menor tenía 24 años tuvo un hijo con la que en aquel momento era su pareja, el único nieto que tiene Josefa. La relación de la pareja no duró más de un año y la custodia del menor quedó a cargo de su madre, aunque la relación materno-filial no es buena. Su nieto vive actualmente con Josefa y trabaja desde hace un año y medio como agente de seguridad en un centro comercial. No es la primera vez que Josefa convive con él, su nieto ya había pasado otras temporadas viviendo con ella y con su marido. Cada vez que tenía problemas con su madre, el nieto de Josefa se mudaba a vivir con ellos, a veces se quedaba algunos meses en casa de sus abuelos y otras veces su estancia se prolongaba durante más de un año. La relación entre el nieto y el hijo menor de Josefa (el padre del susodicho) es tensa e, incluso, han tenido episodios de violencia física.

La otra relación significativa en la vida de Josefa, es la que mantiene con su hermana menor. Su hermana está casada, tiene dos hijas y una nieta. Su hermana visita a Josefa varias veces a la semana, tanto en su casa los fines de semana como cuando está en el centro de día. Hay mucha confianza y complicidad entre las dos hermanas, la relación se vio fortalecida tras la muerte de sus padres. La hermana de Josefa conoce los problemas del hijo menor de Josefa y también ha visto de cerca el trato y la relación que hay entre Josefa y su nieto.

3. SITUACIÓN ACTUAL

Desde que Josefa llegó al centro de día, las enfermeras y las auxiliares de enfermería habían observado algunos signos que indican cierta desatención en los cuidados de la mujer. Por ejemplo, cuando Josefa llegaba los lunes al centro, después de pasar el fin de semana en casa con su nieto, se evidenciaba una falta de higiene personal. Esta falta de higiene personal fue comunicada inmediatamente a su nieto, pero no se observaron cambios al respecto. El centro de día se responsabilizó de la situación y empezaron a duchar a Josefa todos los lunes por la mañana. Además, el personal advirtió que por las mañanas Josefa parecía un poco aturdida y adormilada y presentaba una baja respuesta a los estímulos del entorno. Los lunes, cuando la duchaban, Josefa no atendía a las órdenes y presentaba un bajo tono muscular. Cuando las auxiliares indagaban, ella les contaba que dormía mucho durante los fines de semana, pero que estaba cansada. El personal del centro empezó a sospechar que se hacía un abuso de la medicación que Josefa tenía prescrita para dormir.

Además, en algunas ocasiones, durante la higiene semanal de Josefa en el centro de día, las auxiliares que la atendían habían observado algunos hematomas de tamaño considerable en los muslos de la mujer. Cuando le preguntaron, Josefa le quitó importancia y atribuyó los moratones a su torpeza, diciendo que siempre le había pasado, que se golpeaba con todo y que le salían moratones con mucha facilidad. Cuando le insistían, Josefa decía no recordar haberse caído o golpeado en los últimos días y era incapaz de dar una explicación coherente a aquellos hematomas.

A estas observaciones se sumó el hecho de que el centro de día había tenido un problema en el cobro del importe mensual, desde el banco se había procedido a la devolución del recibo por no haber suficiente dinero en la cuenta corriente de Josefa para cubrir los gastos. Este hecho llevó a la directora del centro a ponerse en contacto con los familiares que aparecían como referentes en la ficha de Josefa: su nieto y su hermana. Tras varios intentos infructuosos de contactar con el nieto como cuidador principal, la directora llamó a la hermana para hablar con ella y ponerla al tanto de lo acontecido. La hermana de Josefa, claramente avergonzada, se ofreció a cubrir los gastos y a hablar con el nieto de Josefa para que no volviera a suceder. La hermana de Josefa afirmó que el nieto como cuidador principal se encargaba de gestionar las cuentas, las facturas y la pensión de Josefa desde que el médico de cabecera le había diagnosticado deterioro cognitivo. Lamentablemente, al mes siguiente, el centro de día volvió a recibir la devolución del recibo. La directora claramente preocupada pidió a la trabajadora social del centro que evaluara la situación.

La trabajadora social se desplazó al domicilio de Josefa y consiguió hablar con su nieto. Antes de empezar a conversar, la trabajadora social pidió poder ver la vivienda. Lo primero que la trabajadora social observó es que la vivienda no estaba en unas condiciones higiénicas aceptables. El nieto reconocía abiertamente que siempre habían sido tareas realizadas por Josefa y que, ahora que ella no hacía dichas tareas, a él le costaba asumir el cuidado y mantenimiento de la casa. Concretamente, la trabajadora social alertó de que la habitación que ocupaba Josefa en la casa era la más pequeña (mientras su nieto dormía en la cama de matrimonio), no tenía ventanas, las sábanas estaban sucias y desordenadas, y había un fuerte olor a orina en la habitación. Cuando la trabajadora social le sugirió contratar a alguien que le ayudara con el tema de la limpieza y las tareas del hogar, el nieto de Josefa afirmó no tener suficientes recursos económicos para cubrir más gastos. A lo largo de la conversación, el nieto también admitió que gestionaba sin mucho control la pensión de Josefa y que a veces cogía pequeñas canti-dades de dinero de la cuenta de su abuela para darse algún capricho, que justificaba como claramente merecido por la labor de cuidar de ella. Aña-dió también que sacaba dinero del banco para dárselo a su abuela cuando ella se lo pedía. Cuando la trabajadora social le preguntó para qué necesi-taba Josefa ese dinero en efectivo o si sabía en qué lo gastaba, al principio enumeró gastos habituales como hacer la compra o comprar la medicación, aunque poco después admitió que muchas veces ese dinero acababa en manos del hijo menor de Josefa (su padre). A continuación, aclaró que él no estaba de acuerdo con que Josefa pagara los vicios de su padre, pero que él no podía hacer nada. Reconocía que era una dinámica muy instaurada entre Josefa y su hijo menor, que siempre había sido así y que se había incrementado tras la muerte del marido de Josefa.

Tras la visita al domicilio, la trabajadora social citó en el centro a la hermana de Josefa para hablar con ella. La hermana confirmó que Josefa y su marido siempre habían cubierto las deudas y gastos desproporcio-nados de su hijo menor. Le contó que Josefa incluso pagó a plazos un camión para que su hijo menor pudiese trabajar y a los dos años, él ya había revendido el camión por mucho menos dinero y, lejos de devolverle ese dinero, se lo había gastado todo sin rendir cuentas a nadie. Al parecer, aquello había hecho que durante un tiempo el marido de Josefa no qui-siera recibir a su hijo en su casa. Inicialmente, Josefa cumplió los deseos de su marido, pero tras su muerte, lo perdonó todo y la dinámica entre ellos dos volvió a instaurarse.

La hermana de Josefa también estaba muy indignada por otro suceso que narró a la trabajadora social. Tanto ella como su hermana habían here-dado sus padres, sus alianzas y varias joyas de oro. Según narró su her-mana, Josefa siempre llevaba puesto en el dedo anular su anillo de casada junto con el anillo de casada de su madre. Sin embargo, hacía aproximada-mente cinco meses, un día que fue a visitar a su hermana se percató de que ya no llevaba ninguno de los dos anillos. Cuando le preguntó a Josefa por los anillos, ésta le dijo que no recordaba donde los había dejado y que era posible que los hubiese perdido. Su hermana, al principio, lo atribuyó a sus problemas de memoria y los despistes que venía padeciendo y le dijo que la ayudaría a buscarlos. Ambas buscaron por todas partes de la casa y en palabras textuales de la hermana de Josefa: "su joyero estaba tan vacío que parecía que la hubiesen atracado". La hermana de Josefa estaba segura de que ella nunca habría vendido aquellas joyas por propia voluntad debido al valor emocional que tenían para ella, especialmente tras la muerte de sus padres y su marido. Aunque no tenía pruebas ni podía demostrarlo, su hermana estaba convencida de que el hijo menor o el nieto de Josefa habían aprovechado las lagunas de memoria de ésta para quitarle las joyas y venderlas.

Al ver la confianza y la sinceridad con que hablaba la hermana de Josefa, la trabajadora social se atrevió a contarle los detalles que habían observado en el centro de día, le habló de la falta de higiene personal, de la somnolencia excesiva y, finalmente, de los hematomas. La hermana de Josefa agachó la cabeza y se mostró más triste que sorprendida al escucharla. Admitió que en algunas de las visitas que había hecho a aquella casa había presenciado gritos, insultos e, incluso, zarandeos. Aunque ella nunca había presenciado otro tipo de violencia, era consciente de que podría haber sucedido. Desde el punto de vista de su hermana, tanto el hijo como el nieto de Josefa eran bastante agresivos en sus reacciones y respuestas y no mostraban ninguna paciencia con su hermana. Aun así, Josefa nunca se había quejado de ellos delante de su hermana y en ningún momento le había hablado de malos tratos.

Respecto al tema de la vivienda, la hermana de Josefa añadió que ella misma en alguna de sus visitas había puesto la lavadora, limpiado la cocina y el suelo, al ser consciente del abandono y la dejadez que presentaba la vivienda. Sin embargo, era capaz de justificarlo en parte diciendo que Josefa cada vez era menos consciente de lo que pasaba a su alrededor y que al ser el cuidador un hombre era normal que no atendiese a las tareas del hogar como lo haría una mujer. La trabajadora social le explicó que esta falta de cuidados y de higiene iba en detrimento de la salud y la calidad de vida de Josefa.

Una vez recabada toda esta información, la trabajadora social habló con Josefa. Cuando la trabajadora social le preguntó por los problemas económicos, ella afirmó que nunca habían tenido problemas económicos, que ella tenía su casa pagada, que tenía una buena pensión gracias a su marido y que su nieto trabajaba. Lo que evidenciaba que realmente desconocía por completo el estado actual de sus cuentas. Cuando abordó el tema de la agresividad de su nieto y de su hijo menor, Josefa reconoció el mal carácter de ambos y que no podían estar juntos porque se peleaban constantemente. Cuando le preguntó si a ella le habían hecho daño alguna vez, Josefa lo negó y dijo que tenía muy buena relación con su nieto, que siempre había sido como su madre. Las respuestas de Josefa parecían totalmente sinceras. Era difícil discernir si había sufrido violencia por parte de su nieto y no lo recordaba, o si lo recordaba, pero lo encubría para no causarle problemas a su único nieto o si realmente decía la verdad y su nieto nunca la había golpeado (la hipótesis de que fuese el hijo menor de Josefa el causante de los hematomas tampoco podía descartarse). La trabajadora social advirtió que en todo momento Josefa defendía a su nieto, pero casi nunca hacía referencia a su hijo menor, incluso cuando le preguntó por él directamente, la respuesta de Josefa fue vaga e inespecífica.

Dos días después de la entrevista de la trabajadora social con Josefa. La peluquera que daba servicio en el centro de día una vez a la semana pidió hablar con la directora del centro porque había advertido que mientras lavaba el pelo y peinaba a Josefa comprobó que había una herida significativa en el cuero cabelludo. La peluquera misma le había preguntado a Josefa qué le había pasado, si se había caído, y ella parecía no saber de qué le estaba hablando. La directora fue a comprobar y ver por ella misma la herida de la que acababan de informarle. Al comprobar que la peluquera no exageraba, volvió a preguntarle a Josefa por la herida, a lo que ella le contestó que se encontraba perfectamente y que no le pasaba nada en la cabeza.

Dados los indicios observados y la información recabada por la trabajadora social. La directora pidió que se le realizara una valoración geriátrica integral a Josefa, que incluyera una valoración completa y exhaustiva por parte del médico y de la psicóloga del centro, con una valoración de posibles malos tratos.

4. EXPLORACIÓN CLÍNICA O ANAMNESIS

Se realizó una evaluación integral del caso de Josefa que arrojó los siguientes datos:

- *Evaluación Funcional:* La paciente asumía varias tareas del hogar, su funcionabilidad era óptima en las Actividad Básicas de la Vida Diaria (ABVD: movilidad, bañarse, comer, continencia, etc.); pero presentaba limitaciones en las Actividades Instrumentales de la vida diaria (AIVD: manejo de la casa, ir de compras, manejo del dinero, etc.). La paciente refiere que su nieto la ayuda con algunas tareas del hogar como, por ejemplo, acompañarla al supermercado, llevarle a la farmacia, etc.

- *Evaluación médica:* Tras la exploración física se concluyó que la paciente se encontraba estable. Buen estado general, sin antecedentes patológicos personales y bien hidratada. Obesidad central y tensión arterial 120/80 en decúbito, frecuencia cardiaca 83 pm, temperatura 36.90, saturación 94%. A nivel cardiopulmonar, tonos rítmicos, sin soplos audibles. Buen murmullo vesicular bilateral. Miembros inferiores sin edemas. Abdomen blando, depresible, sin masas ni hernias. No se observan signos de irritación peritoneal, peristaltismo adecuado. Presencia de herida y laceraciones en el cuero cabelludo posiblemente debidas al efecto del impacto contra una superficie.

Analítica con anemia normocítica y resto de la analítica sin alteraciones.

TC craneal: No hay signos de hemorragia intraaxial o extraaxial, ni signos precoces de isquemia. Línea media centrada. Estructuras óseas y tejidos de partes blandas sin evidencias de alteraciones.

Diagnóstico: traumatismo craneoencefálico menor en área fronto-temporal sin lesión ósea asociada ni hematoma intracraneal.

— *Exploración neurológica*: paciente consciente y orientada en el espacio, aunque no en el tiempo. Receptiva y perceptiva. Sin alteraciones en la respuesta ocular, motora y verbal. Escala de Coma de Glasgow = 14/15. Exploración de la sensibilidad superficial y profunda: normal. No se observan dismetrías (prueba dedo-nariz).

— *Evaluación psicológica*: Se aplicaron distintas escalas para la evaluación de la función cognitiva:

  — Mini-Mental state examination = 22/35.

  — Test del reloj (TRO + TRC) = 14/20

    Ambas pruebas indicaron la existencia de un deterioro de las capacidades cognitivas de la paciente.

    Se utilizó el Geriatric Depression Scale de Yesavage (GDS) versión abreviada para la evaluación de la sintomatología depresiva. Los resultados fueron 9/15, lo que indicaba presencia de sintomatología depresiva.

    Al final de la entrevista con la psicóloga, la paciente reconoció que su nieto gestionaba la pensión, que ella no veía el dinero. Además, le explicó que a su nieto no le gustaba que fuese al centro de día, que era mucho gasto y que él quería que se quedase en casa. Le dijo que a veces discutían y le gritaba porque su nieto perdía los nervios con facilidad y enseguida se enfadaba, pero que luego se le pasaba rápido y le pedía perdón. Al final de la conversación, Josefa le pidió que no lo contara a nadie, que ella había participado en la crianza de su nieto y no quería causarle ningún problema. Según Josefa, su nieto había heredado el mal carácter de su padre, había nacido con eso y no podía remediarlo; pero era mejor que su padre y más trabajador. En todo momento, Josefa defendía y resaltaba las virtudes de su nieto y enfatizaba el fuerte vínculo que tenía con él.

– *Evaluación social:* Nula red social, rechaza la visita de vecinos y voluntarios de Cruz Roja o cualquier otra ONG, sus relaciones se reducen a la relación con la familia, más concretamente con su hermana, su hijo menor y su nieto. Índice de Katz = 0/6 (Incapacidad leve o ausente). Dependencia severa para actividades instrumentales de la vida diaria como hacer la compra, el transporte, hacer las tareas del hogar y tomar regularmente su medicación. Además de ser totalmente dependiente a nivel económico, cuando se le pregunta a la Josefa por el dinero que su nieto le proporciona, esta no es capaz de especificar con qué frecuencia le da dinero ni las cantidades. La paciente ha delegado en su nieto todas las tareas relacionadas con las cuentas, las facturas y la gestión mensual de la pensión.

5. MALTRATO FÍSICO Y ECONÓMICO: FACTORES DE RIESGO

Para la evaluación de la presencia de maltrato se utilizó el cuestionario de prevención y detección de factores de riesgo de malos tratos físicos y económicos, gracias al cual se detectaron lo siguientes *factores de riesgo*:

A) Maltrato físico:

A1. Factores de riesgo que presenta la persona mayor:

– Aislamiento y debilidad de la red social.

– Deterioro cognitivo.

– Dependencia del cuidador para las actividades instrumentales de la vida diaria y para las actividades económicas.

– Falta de higiene.

A2. Factores de riesgo de su entorno:

– Limitaciones personales del cuidador y falta de recursos para el cuidado y atención de la persona mayor y de sus necesidades.

– Cierto grado de hostilidad entre el cuidador y la persona mayor.

– El cuidador y la persona mayor tienen conflictos con otro familiar que también abusa económicamente de la persona mayor.

B) Maltrato económico:

B1. Factores de riesgo que presenta la persona mayor:

– Desconocimiento de su situación económica actual.

- Deudas cuando en realidad tiene capacidad económica suficiente para afrontar sus gastos.

- Tendencia pasada y actual a solventar los problemas económicos de su hijo menor.

B2. Factores de riesgo en el entorno:

- Antecedentes de conflictividad por cuestiones financieras.

- Exagerado interés del cuidador por hacerse cargo de los ingresos y bienes de la persona mayor.

6. CONCLUSIONES

Tras la valoración global del caso, se detectan indicadores de que Josefa sufre de maltrato físico y económico a lo largo de años de evolución, que parecen haber sido perpetrados tanto por su nieto como por su hijo menor. Estos malos tratos se habrían visto exacerbados en los últimos meses a causa de sus problemas cognitivos y la cesión del control de sus ingresos en favor de su nieto que ejerce como cuidador principal. Por ello, se realiza la oportuna comunicación a la Fiscalía.

III. EVALUACIÓN FORENSE

La OMS define el maltrato a una persona de edad como un acto o varios actos repetidos que le causen daño o sufrimiento, o también la no adopción de medidas apropiadas para evitar otros daños, cuando se tiene con dicha persona una relación de confianza. Este tipo de violencia constituye una violación de los derechos humanos y puede manifestarse en forma de maltrato físico, sexual, psicológico o emocional. También podemos hablar de un maltrato por razones económicas o materiales; abandono; desatención; y menoscabo grave de la dignidad y el respeto en el trato.

Las personas mayores pueden convertirse en víctimas de la violencia familiar cuando las relaciones y la organización familiar están desajustadas en los aspectos afectivo y organizativo, lo que acaba produciéndoles un daño concreto, o supone un riesgo o amenaza para su bienestar o su salud física y/o mental. De hecho, suele diferenciarse el maltrato por omisión, cuando no se le proporcionan los cuidados que necesita o el afecto, la compañía, etc.; del maltrato con acciones concretas violentas y agresivas verbales o físicas de variada gravedad.

El maltrato a las personas de edad es un problema importante de salud pública. De acuerdo con una revisión de 52 estudios realizados en 28 países de diversas regiones (Yon Y et al. 2017) que abarcó un año, una de cada seis personas de 60 años o más (el 15,7% de este grupo de edad) sufrieron alguna forma de maltrato. Aunque en general no hay muchos datos rigurosos al respecto, esta revisión permite estimar la prevalencia de los distintos tipos de maltrato en las personas mayores. Se dispone de pocos datos sobre el alcance del problema en las instituciones, como los hospitales, las residencias de ancianos y otros centros de atención crónica. En una revisión reciente sobre este tipo de maltrato en las instituciones, el 64,2% del personal refirió haber cometido alguna forma de maltrato en el año al que se refirió el examen.

Algunos datos del fenómeno del maltrato a las personas de edad en entornos comunitarios:

	Notificado por el propio anciano y sus representantes	Notificado por trabajadores
Prevalencia general	Sin datos	64,2%
Maltrato psicológico	33,4%	32,5%
Maltrato físico	14,1%	9,3%
Maltrato económico	13,8%	Sin datos
Desatención	11,6%	12,0%
Abusos sexuales	1,9%	0,7%

Fuente: *Organización Mundial de la Salud. Maltrato a las personas mayores. 2022.*

Cada vez son más los datos que indican que la prevalencia del maltrato a las personas de edad, tanto en el entorno comunitario como en las instituciones, ha aumentado durante la pandemia de COVID-19. La detección y el éxito en el enjuiciamiento de estas situaciones dependen en gran parte de la capacidad de interpretar los signos de abuso por parte de los familiares, amigos y profesionales en contacto con el anciano y la habilidad de los profesionales forenses en la evaluación del cuadro.

De entre los distintos tipos de maltrato que pueden causar daño o sufrimiento a los ancianos destaca el *maltrato físico* que puede definirse como el uso intencionado de la fuerza física que puede dar lugar a una lesión corporal, dolor físico o cualquier otro perjuicio.

1. LESIONES FÍSICAS RELACIONADAS CON EL MALTRATO FÍSICO AL ANCIANO

La medicina legal y forense define una lesión, del latín *laédere* (dañar), como toda alteración anatómica o funcional ocasionada por agentes externos o internos.

Así pues, son múltiples los diferentes posibles agentes causales de las lesiones que pueden relacionarse con el maltrato físico al anciano. Existen agentes causales externos; mecánicos (objetos contusos irregulares y variados: un bastón, un cinturón, una correa, un instrumento cortante o punzante, un proyectil de arma de fuego), físicos (fuego, calor, frío, electricidad…), químicos (drogas, fármacos, irritantes, cáusticos…), biológicos (bacterias, parásitos, virus…) y psicológicos.

En el maltrato físico se encuentran con mayor frecuencia, de entre todos los agentes causantes expuestos, los consecutivos a agentes mecánicos y entre ellos, las lesiones contusas producidas por las manos de otro al coger con fuerza por los brazos o las piernas a la persona agredida; aparecen contusiones en forma de hematomas, erosiones o excoriaciones. En cualquier caso, es necesario un conocimiento exhaustivo de todos los agentes causales externos y de las características de las lesiones que generan para permitir la detección de un posible maltrato físico en el anciano. En todos los casos, la exploración de las lesiones que presenta el anciano será clave para el correcto diagnóstico del maltrato físico.

Para obtener un mayor rendimiento diagnóstico de las lesiones, lo que permitirá llegar a deducciones médico-legales más precisas, es fundamental una exploración lo más precoz posible de las lesiones, circunstancia que queda recogida en todas las guías y protocolos de actuación de los Institutos de Medicina Legal y Ciencias Forenses para la evaluación pericial de lesiones, con independencia de que se trate de casos de maltrato en el anciano o de cualquier otro maltrato o tortura.

En algunas ocasiones el médico forense será quien examine en primer lugar las lesiones que presente el anciano, sin embargo, lo más habitual será que la evaluación inicial de les lesiones sea efectuada por un médico asistencial. Debido a la extrema relevancia desde el punto de vista médico-legal de las características de las lesiones y atendiendo a que dichas características están más definidas en un momento más cercano a la producción de las mismas, es fundamental que el médico asistencial describa de manera detenida, precisa y completa las características de las lesiones que presenta el anciano.

Por desgracia, y dada la frecuente irrelevancia clínica de algunas de dichas lesiones, la descripción que consta en la documentación médica de la asistencia recibida no siempre permitirá obtener deducciones médico-legales con un grado elevado de fiabilidad.

Una adecuada descripción de una lesión en un caso sospechoso de maltrato al anciano debe incluir la morfología, coloración, tamaño (longitud, grosor), la existencia de indemnidad o solución de continuidad en la piel u otras características que puedan ser relevantes para la datación de la antigüedad de la lesión o del mecanismo de producción de la misma. El uso de esquemas corporales para localizar la lesión es altamente recomendable cuando existen múltiples lesiones.

Si es posible, es ideal añadir alguna fotografía de la lesión, preferiblemente obtenida por el propio facultativo y por tanto de data indubitada, la cual debe hacerse constar, e incluir algún punto de referencia anatómico que permita la localización de la lesión. Además, un testigo métrico (o una regla o cualquier objeto de medidas fijas como una moneda) ayuda enormemente en la posterior descripción del tamaño de la lesión.

2. ¿CUÁL ES EL OBJETIVO PERICIAL O FORENSE EN ESTOS CASOS?

Ya sea mediante el estudio directo de las lesiones físicas que presente el anciano o a partir del estudio de las lesiones documentadas, el perito pretende dar respuesta, en estos casos, a los siguientes supuestos:

1. Objetivación y acreditación de la existencia de una o varias lesiones.

2. Diagnóstico etiológico o bien establecer en la medida de lo posible, el mecanismo de producción de las mismas. Para ello, además del conocimiento exhaustivo de las características de los diferentes tipos de lesiones, será necesario descartar posibles orígenes no relacionados con un maltrato, tales como circunstancias relativas a alguna patología o circunstancia médica que explique la aparición de dichas lesiones.

3. Descartar, en la medida de lo posible, una situación de simulación o alegación falsa de maltrato físico en el anciano o la posible existencia de autolesiones.

4. Identificación del objeto causante de las lesiones. En ocasiones solo será posible emitir alguna consideración en relación a la compatibilidad o no de la lesión con la posible producción por algún objeto

concreto que sea sospechoso de haber producido las lesiones o haya sido alegado por la víctima.

5. Antigüedad de las lesiones a partir del estudio de la evolución natural de las mismas, lo que permitirá, en algunos casos compatibilizar la existencia de una lesión con una fecha de producción aproximada.

6. Identificación de circunstancias relacionadas frecuentemente con el maltrato físico como la existencia de multiplicidad de lesiones, característicamente de diferente estado evolutivo. De hecho, existen toda una serie de síntomas y signos que pueden convertirse en señales de alerta ante una posible situación de maltrato. Dichas señales se analizan someramente a continuación:

   – Existencia de múltiples lesiones en diferentes estados evolutivos.

   – Explicaciones poco coherentes sobre la forma en que se han producido tales lesiones.

   – Deshidratación sin motivo médico aparente.

   – Frecuentes visitas a hospitales y servicios de urgencias por motivos diversos.

   – Mala evolución de las lesiones tras haber aplicado el tratamiento adecuado.

   – Administración involuntaria de medicamentos.

   – Ausencia de respuesta ante tratamientos apropiados.

   – Retraso en solicitar ayuda médica.

   – Actitud indicativa de miedo, pasividad o inquietud.

   – Caídas reiteradas.

   – Alteraciones del estado anímico: ansiedad, depresión, confusión.

   – Signos o síntomas médicos poco explicables por las patologías padecidas por el anciano tales como zonas de alopecia, que pueden corresponderse con tirones de pelo.

3. CARACTERÍSTICAS DE LAS LESIONES FÍSICAS EN EL MALTRATO FÍSICO DEL ANCIANO

Ya se ha expuesto anteriormente que son múltiples los diferentes posibles agentes causales de las lesiones que pueden relacionarse con el maltrato físico al anciano. En el maltrato físico se encuentran con mayor frecuencia, de entre todos los agentes causantes expuestos, los consecutivos a agentes mecánicos y entre ellos, las lesiones contusas, que serán abordadas con más detalle a continuación dentro de este apartado. Especial atención merecen las huellas o señales que dejan los instrumentos utilizados para la contención mecánica, tales como cuerdas, correas, etc. En el caso de la existencia de fracturas, el diagnóstico diferencial es complejo, ya que se trata de lesiones de alta frecuencia en los ancianos, bien de forma espontánea o por caídas accidentales. En estos casos hay que descartar el mecanismo de producción directo mediante un golpe que podría dejar reproducido el objeto o mecanismo sobre la zona externa del foco de fractura.

Tras las lesiones contusas, las lesiones producidas por armas blancas son las más frecuentes en el maltrato físico al anciano. También pueden existir lesiones consecutivas a agentes causales externos de tipo físico como las quemaduras, que pueden presentar una morfología característica. Las ocasionadas por los cigarrillos, radiadores o cucharas, pueden ser indicativas de malos tratos claros, ya que clásicamente el anciano fumador no se quema de forma perpendicular, sino oblicuamente y característicamente en el dedo que sostiene el cigarro.

En cualquier caso, como ya ha sido expuesto, es necesario un conocimiento exhaustivo de todos los agentes causales externos para posibilitar una exploración pericial adecuada en estos casos.

4. PRINCIPALES CARACTERÍSTICAS DE LAS CONTUSIONES

Una contusión es la colisión entre un cuerpo romo, llamado contundente (potencia) y el cuerpo humano (la resistencia).

Los objetos contundentes son abundantes y variados. De hecho, prácticamente todos los objetos que rodean al hombre son susceptibles de esa acción. Clásicamente, para simplificar, distinguimos 3 grupos:

- Instrumentos expresamente construidos para la defensa y el ataque (porra, guantes de boxeo...).
- Órganos naturales de ataques y de defensa del hombre y animales (manos, uñas, dientes, pezuñas, garras...).
- Objetos de uso habitual con finalidades distintas a la defensa o ataque que en un momento determinado se usan como instrumentos contundentes (piedras, martillos, llave inglesa...).

Los distintos tipos de contusiones que pueden producirse vienen condicionados, además de por el propio objeto contundente (peso, velocidad...), por el mecanismo de actuación de la lesión, ya sea mediante una actuación perpendicular (pudiendo tratarse de una percusión o una presión) sobre la superficie corporal, una actuación tangencial (frotamiento) o mediante una actuación mixta (perpendicular y tangencial). Finalmente, a los mecanismos anteriores puede unirse la tracción, produciendo lesiones más complejas.

5. TIPOS DE CONTUSIONES

1. Contusiones simples

1.1. Con integridad de la piel: equimosis, contusiones profundas y derrames.

1.2. Con lesión cutánea: erosiones, excoriaciones o heridas contusas.

2. Contusiones complejas (arrancamientos, mordeduras, caídas…)

Las contusiones simples superficiales con integridad de la piel se denominan equimosis. Las lesiones por contusión simple sin integridad de la piel o, dicho de otro modo, con lesión cutánea se denominan erosiones, excoriaciones o heridas contusas.

Respecto a la importancia de las contusiones simples (con o sin indemnidad cutánea), debe destacarse que son intrascendentes desde el punto de vista estrictamente clínico. Ahora bien, su semiología proporciona, en el ámbito médico-legal y forense, los más valiosos indicios para la reconstrucción de la violencia.

Las *equimosis* son contusiones superficiales, sin afectación de la piel, limitándose sus efectos a la laceración del tejido celular subcutáneo y produciendo dislaceración o desgarro de fibrillas nerviosas (produce dolor) y dislaceración de vasos sanguíneos y linfáticos (produce derrame). Pueden distinguirse diversas categorías de equimosis según la intensidad de su producción: equimosis propiamente dicha, equimoma, sugilaciones o equimosis de succión, petequias, hematomas y bolsas sanguíneas.

Es importante destacar que los dos factores que condicionan, de manera más relevante las características de la extravasación sanguínea que se producen en las equimosis son la violencia de los golpes y la extensión de la región traumatizada. Además, en igualdad de condiciones de estos factores, existen ciertos condicionantes locales y generales que modulan las características de dichas lesiones. Entre los condicionantes locales más importantes deben tenerse en cuenta la presencia o ausencia de un plano óseo bajo la zona contundida, la distinta vascularización de la región y la posible laxitud del tejido celular subcutáneo en la zona afectada. Por otro lado, existen también una serie de condicionantes generales como la edad, el género o algunos condicionantes individuales como distintas enfermedades o adicciones que modulan la aparición, morfología y evolución de las lesiones.

Respecto a la morfología, las equimosis pueden tener formas variadas. Pueden ser redondeadas, alargadas, cuadrangulares o digitadas. En este sentido, es imprescindible destacar aquellas situaciones en las que la equimosis simula la forma del objeto contundente (látigo, bastón, llave inglesa…), denominándose equimosis figuradas. Es obvio que este tipo de equimosis serán de vital importancia en la peritación médico-legal de las lesiones físicas del maltrato al anciano.

Por otro lado, la morfología inicial de las equimosis, ya sea una equimosis figurada o no, se mantiene durante poco tiempo debido a la reabsorción del hematoma, por lo que la lesión va perdiendo la definición de sus contornos. Así, puede afirmarse que el color de las equimosis evoluciona con el tiempo y siempre existe una tonalidad más marcada en el centro de la lesión que en la periferia de la misma. Los cambios cromáticos que afectan a las equimosis debido a su evolución típica han sido aprovechados desde hace siglos para determinar, de manera aproximada, el tiempo de evolución de la lesión. Clásicamente, según Tourdes, la evolución cromática de una equimosis pasa por distintas fases sucesivas: rojo oscuro: primeras horas, negro: 2-3 días, azul: 3-6 días, verdoso: 5-7 días y amarillento: de 7 a 8 días.

A este respecto hay que señalar que existen también diversas excepciones en la evolución cromática de las equimosis. En primer lugar, las equimosis subconjuntivales no cambian de color, sino que van atenuando su colorido progresivamente. Por otro lado, las equimosis subungueales pueden oscurecer, pero luego persisten hasta su eliminación por el crecimiento ungueal.

Así pues, la duración de las equimosis depende de la superficie y extensión contundida, la laxitud del tejido celular subcutáneo, la edad del sujeto, el estado de salud del traumatizado, la profundidad de la extravasación sanguínea y la localización de la equimosis.

El estudio pormenorizado de las características presentes en las equimosis descritas permite deducir, en los casos más favorables, algunas circunstancias que pueden resultar clave en la peritación médico legal del caso:

a) Topografía de las equimosis y contusiones. Normalmente la localización corresponde al lugar traumatizado. Debe tenerse en cuenta la tendencia de migración de los hematomas.

b) Número de equimosis y traumatismos. Ordinariamente coinciden. Sin embargo, pueden inducir a error cuando las lesiones han sido producidas por un objeto contundente de forma irregular. También es una causa de error el hecho de haberse producido una repetición del lugar de la contusión.

c) Diferenciación entre equimosis vitales y postmortales. En los casos de muerte de un anciano en el que existe sospecha de maltrato será fundamental saber diferenciar entre la vitalidad o no de las lesiones que presente la víctima. En estos casos, habrá que analizar las características del infiltrado de sangre en las mallas del tejido celular y la coagulación íntima y adherencia de la sangre al tejido. Además, de manera característica, en los casos de lesiones vitales la eliminación por lavado de la infiltración tisular es sumamente difícil.

Las erosiones y excoriaciones son lesiones superficiales de la piel que se producen cuando el cuerpo contundente actúa por un mecanismo de frotamiento. Se denomina erosión a aquella contusión simple, con lesión cutánea, cuando la lesión de la piel y la pérdida de sustancia cutánea interesa solamente la epidermis. Se denomina excoriación a la contusión simple, con lesión cutánea, cuando la lesión produce un levantamiento más o menos importante de la dermis. El síntoma principal de las erosiones y excoriaciones es la costra.

Al igual que las equimosis, las erosiones tienen poca importancia clínica, dado que el pronóstico siempre es leve (curan en muy pocos días) pero extraordinario valor médico-legal.

El estudio pormenorizado de las características presentes en las erosiones y excoriaciones permite deducir, en los casos más favorables, algunas circunstancias que pueden resultar clave en la peritación médico legal del caso:

a) Topografía de las lesiones. De gran valor en arrastramientos, sofocaciones, estrangulación, violencias sexuales, etc.

b) Morfología y número de las erosiones, pudiendo ser las mismas erosiones rectangulares, lineales o en forma de cinta, en forma de suela de zapato, cuadrangulares. Especial interés tienen las erosiones ungueales, siendo muy interesante el análisis del número y localización de las mismas.

c) Diferenciación entre erosiones y excoriaciones vitales y postmortales. El diagnóstico diferencial viene dado por la existencia o ausencia de costra. Sin embargo, existen algunas excepciones a esta circunstancia como son los casos de erosiones postmortales localizadas en zonas declives y aquellas erosiones producidas por insectos, generalmente en las comisuras de los labios.

Las heridas contusas son lesiones de tipo contusión simple y con lesión cutánea producidas por instrumentos contundentes en las que, además de la acción contusa superficial o profunda, tiene lugar una solución de continuidad de la piel, cuya elasticidad es vencida por la acción del instrumento. La característica principal de las heridas contusas es la irregularidad de la herida que depende de la región en la que asienta la herida, la fuerza ejercida, la dirección del golpe y la naturaleza del instrumento. En el estudio minucioso de la lesión puede objetivarse que los bordes de las heridas contusas presentan pequeñas excoriaciones o equimosis. Asimismo, en la profundidad de la herida contusa, además, se ven sufusiones sanguíneas que no se observan nunca en las heridas incisas. Finalmente, entre los bordes de la herida existen pequeños puentes de unión formados por pequeños vasos sanguíneos o trocitos de tejido, fibras, filetes nerviosos que, por su mayor elasticidad, escaparon a los efectos del traumatismo.

En ocasiones, aunque menos frecuentemente, el maltrato físico en el anciano también incluye la producción de contusiones complejas del tipo arrancamientos por mecanismo de tracción, mordeduras por un mecanismo combinado de presión y tracción, o caídas. En las mordeduras, el análisis exhaustivo de la lesión puede poner de manifiesto, en el borde de la lesión, las huellas de los dientes. Así, los dientes se disponen como dos series contrapuestas que se corresponden a las arcadas dentales. Las lesiones en estos casos pueden ir de simples erosiones-excoriaciones a verdaderos arrancamientos.

6. PRINCIPALES CARACTERÍSTICAS DE OTRAS LESIONES

Aunque con menor frecuencia, el maltrato físico en el anciano puede manifestarse por la producción de lesiones distintas a las contusiones, tales como las lesiones por arma blanca o quemaduras.

Las *lesiones por arma blanca* son lesiones producidas por la acción de instrumentos que atacan el cuerpo mediante una punta, un filo o ambos a la vez. Dichas lesiones se clasifican en distintos tipos: heridas punzantes, heridas incisas o cortantes, heridas inciso-punzantes y heridas inciso-contusas.

Las heridas punzantes son las producidas por instrumentos de forma alargada y diámetro variable, de sección circular o elíptica que terminan en punta más o menos afilada. Pueden ser naturales (cuernos) o artificiales (aguja). Su mecanismo de acción consiste en penetrar en la piel a modo de cuña produciendo disociación de los tejidos. Se puede producir un desgarro si se vence el límite de elasticidad de la piel. Las características principales de las lesiones punzantes incluyen la existencia de un orificio de entrada, puntiforme o en ojal, un trayecto y un orificio de salida (irregular, menor al de entrada e inconstante, es decir, no está siempre presente). El pronóstico de las heridas punzantes depende del grosor del instrumento, de la zona de la herida, la profundidad de la lesión, la afectación de órganos vitales y la limpieza del arma que puede condicionar una infección.

Las heridas por *instrumentos incisos o cortantes* son aquellas que están producidas por instrumentos que tienen una hoja de sección triangular que obra por el filo. Pueden ser verdaderos instrumentos cortantes (cuchillo) o improvisados (trozos de vidrio). Su mecanismo de acción consiste en que el filo penetra en los tejidos en forma de cuña y los divide produciendo soluciones de continuidad. Pueden distinguirse distintas variedades de heridas cortantes: lineales, en colgajo, mutilantes y atípicas (en puente o zigzag, característicamente en los párpados o zonas de piel laxa, o irregulares debido a las posibles melladuras del arma). Las características principales de las lesiones incisas o cortantes incluyen la presencia de bordes muy regulares y limpios (a diferencia de las heridas contusas), presentando extremos que suelen hacerse superficiales formando las denominadas colas. Las paredes de la lesión confluyen hacia abajo dibujando una sección triangular de vértice hacia abajo. El pronóstico de las heridas incisas o cortantes es variable dependiendo del instrumento y la zona implicada.

Las *heridas inciso-punzantes* son las producidas por armas con filo y punta. Conocidas también como heridas inciso-punzantes y más vulgarmente como puñaladas. Su mecanismo de acción es la suma de acción de instrumentos punzantes y cortantes. Las lesiones presentan característicamente un orificio de entrada, trayecto y orificio de salida (como las punzantes) y presentan colas (como las incisas).

Las *heridas inciso-contundentes* son las producidas por objetos que reúnen las condiciones de acción contundente (masa o fuerza viva elevada) y propiamente cortante (filo). También llamadas heridas inciso-contusas. Este tipo de lesiones presentan las características propias de las heridas contusas y de las incisas. Existe, por tanto, una diéresis hística y contusión, acompañada generalmente de una gran profundidad de la herida, que no respeta las partes duras del cuerpo. El pronóstico de las heridas inciso-contusas es mucho más grave que en los casos anteriores.

Las *quemaduras* son las lesiones resultantes de la acción de agentes físicos, químicos o biológicos, que al actuar sobre los tejidos dan lugar a reacciones locales o generales cuya gravedad depende fundamentalmente de su extensión y profundidad. Las características de las quemaduras dependen del agente térmico causante de las mismas:

- Llama y materias inflamadas: quemaduras extensas y de superficie irregular y mal contorneadas. Carbonizan vello y cabello y respetan zonas apretadas por los vestidos (cinturón, calcetín…).

- Gases en ignición: quemaduras muy extensas, poco profundas, que respetan en general las partes cubiertas por vestidos (lesiones habituales en vía aérea).

- Vapores a alta temperatura: quemaduras muy extensas, poco profundas, con afectación de zonas cubiertas.

- Líquidos calientes (escaldadura): adoptan la forma de surcos, canales y grietas, que resultan de los regueros de los líquidos sobre la piel. La dirección de los surcos es siempre descendente.

- Quemaduras por contacto: quemaduras limitadas, que inicialmente reproducen fielmente la forma del agente térmico (ej. plancha).

7. EVALUACIÓN PERICIAL MÉDICO LEGAL DE LAS LESIONES FÍSICAS DESCRITAS

En primer lugar, debe intentarse objetivar y acreditar de la mejor manera posible la existencia de una o varias lesiones en el anciano, las cuales se sospecha que pueden ser consecutivas a un maltrato físico.

Como ha sido expuesto anteriormente, la mejor manera de objetivar y acreditar la existencia de una o varias lesiones es mediante una exploración pormenorizada y lo más precoz posible de las lesiones por parte de un perito médico experto en lesiones. Tan solo en estas circunstancias el estudio de las lesiones permitirá alcanzar deducciones médico-legales precisas y con alto grado de fiabilidad.

Si ha transcurrido suficiente tiempo desde la producción de las lesiones y siendo éstas leves, lo más probable es que ya hayan desaparecido y la exploración no sea útil. En estos casos, pueden analizarse médico-legalmente las características de las lesiones a partir de la información disponible en la causa o la aportada en relación a los hechos.

Así, en el caso práctico planteado se dispone de información respecto a las lesiones que presentaba Josefa, proveniente de dos vías distintas:

1. A partir de testigos:

   – Durante la higiene semanal de Josefa en el centro de día, las auxiliares que la atendían habían observado algunos hematomas de tamaño considerable en los muslos de la mujer. Cuando le preguntaron, Josefa le quitó importancia y atribuyó los moratones a su torpeza, diciendo que siempre le había pasado, que se golpeaba con todo y que le salían moratones con mucha facilidad. Cuando le insistían, Josefa decía no recordar haberse caído o golpeado en los últimos días y era incapaz de dar una explicación coherente a aquellos hematomas.

   – La hermana de Josefa admitió que en algunas de las visitas que había hecho a aquella casa había presenciado gritos, insultos e, incluso, zarandeos.

   – Dos días después de la entrevista de la trabajadora social con Josefa, la peluquera que daba servicio en el centro de día una vez a la semana pidió hablar con la directora del centro sobre Josefa. La peluquera había advertido mientras le lavaba el pelo y la peinaba que Josefa tenía una herida significativa en el cuero cabelludo. La peluquera misma le había preguntado a Josefa qué le había pasado, si se había caído, y ella parecía no saber de qué le estaba hablando. La directora fue a comprobar y ver por ella misma la herida de la que acababan de informarle. Al comprobar que la peluquera no exageraba, volvió a preguntarle a Josefa por la herida, a lo que ella le contestó que se encontraba perfectamente y que no le pasaba nada en la cabeza.

2. A partir de documentación médica:

   En la exploración médica llevada a cabo se hace constar la presencia de una herida y laceraciones en el cuero cabelludo posiblemente debidas al efecto del impacto contra una superficie.

   El TC craneal objetivó que no existían signos de hemorragia intraaxial o extraaxial, ni signos precoces de isquemia. Línea media centrada. Estructuras óseas y tejidos de partes blandas sin evidencias de alteraciones.

   Respecto a la información proveniente de testigos (auxiliares) puede considerarse que Josefa presentaba una contusión importante en ambos muslos, sin poder precisar tamaño, localización exacta ni otras características de interés médico-legal.

Asimismo, el testigo de la hermana de Josefa permite identificar mecanismos compatibles con la producción de lesiones contusas.

Finalmente, el relato de la peluquera y la directora del centro de día permiten considerar que Josefa presentaba una herida significativa en el cuero cabelludo, sin poder precisar tampoco en esta ocasión el tamaño, localización exacta ni otras características de interés médico-legal.

De dicho relato no pueden deducirse las características de la herida y por tanto no puede concluirse si se trataba de una herida contusa o una herida producida por arma blanca.

Respecto a la información proveniente de documentación médica puede ratificarse documentalmente la existencia de la lesión referida por el relato de la directora y la peluquera del centro, objetivando que Josefa presentaba una herida y laceraciones en el cuero cabelludo posiblemente debidas al efecto del impacto contra una superficie.

Por desgracia y dada la irrelevancia clínica de dicha lesión, confirmada en este caso por TC craneal, la descripción que consta en la documentación médica de la asistencia recibida no permite efectuar deducciones médico-legales con un grado elevado de fiabilidad. De dicha descripción no pueden deducirse las características de la herida y por tanto no puede concluirse si se trataba de una herida contusa o una herida producida por arma blanca si bien en el informe se apunta que la herida parece debida al efecto del impacto contra una superficie, lo que sugiere, por tanto, una herida contusa. La existencia del plano óseo (bóveda craneal) justo por debajo de la localización de la lesión justifica la producción de una herida tras una contusión.

Debe señalarse de nuevo en este punto que la realización de alguna fotografía de la lesión hubiera facilitado enormemente su posterior análisis médico-legal.

Debemos también insistir en la adecuada descripción de una lesión en un caso sospechoso de maltrato al anciano debe incluir la morfología, coloración, tamaño (longitud, grosor), la existencia de indemnidad o solución de continuidad en la piel u otras características que puedan ser relevantes para la datación de la antigüedad de la lesión o del mecanismo de producción de la misma.

Dicho esto, las dos lesiones que pueden ser objeto de análisis en el caso planteado son:

- Una contusión simple con integridad de la piel (equimosis de tipo hematoma) a nivel de ambos muslos.
- Una herida de origen probablemente contusa a nivel craneal.

La información de la que se dispone permite considerar la existencia de múltiples lesiones, con diferente estado evolutivo, ambas presumiblemente contusas y de explicación en cuanto a su producción no del todo clara.

La identificación del objeto causante de las lesiones no es posible en el caso planteado. La información de la que se dispone es insuficiente para ello.

La información de la que se dispone no permite establecer ningún tipo de consideración en cuanto a la antigüedad de las lesiones.

Por otro lado, a partir del relato del caso puede descartarse una situación de simulación o alegación falsa de maltrato físico en el anciano o la posible existencia de autolesiones. Es decir, valoraremos si el relato aportado, ya sea por la víctima o por los presuntos implicados, es compatible con la data y el mecanismo lesional que deducimos de las lesiones.

8.   EL ABUSO ECONÓMICO EN ANCIANOS

Las personas de edad avanzada resultan especialmente vulnerables al abuso económico. El éxito de la detección e intervención, incluso judicial, en estos casos dependerá en gran parte de nuestra capacidad de interpretar los signos de abuso por parte del entorno de la víctima.

La OMS define el abuso financiero de ancianos como "la explotación o uso ilegal o indebido de los fondos u otros recursos de la persona anciana". La prevención e intervención en este tipo de casos forma parte de la protección de las personas mayores vulnerables, pero, en comparación con otros tipos de abuso, el abuso financiero ha recibido una atención limitada, aunque sus consecuencias pueden resultar devastadoras, ya que puede privar a las personas de avanzada edad de la posibilidad de vivir de forma independiente, velar por su salud y recibir los cuidados de larga duración que puedan precisar.

Ser víctima de abuso financiero puede potencialmente generar un malestar emocional importante e incluso problemas de salud física, especialmente en relación a la desatención o dificultad en cubrir sus necesidades que puede suponer para el anciano.

Con frecuencia las personas de avanzada edad han acumulado a lo largo de su vida cierto patrimonio o disponen de prestaciones que pueden ser objeto de interés. Además, pueden presentar deterioro cognitivo, como el caso que nos ocupa, y que esto afecte a su capacidad para administrar sus bienes. Conforme disminuye su capacidad para administrar sus bienes, aumenta su vulnerabilidad al abuso económico y sus recursos para hacerle frente, más aún cuando los perpetradores pertenecen a su entorno de confianza.

La evaluación forense puede constituir una pieza clave en la evidencia probatoria de estos casos. Podrán informar al tribunal sobre la vulnerabilidad de la víctima y apuntar al estudio de las condiciones biopsicosociales que conforman la situación de violencia económica.

Nuestro pronunciamiento sobre la vulnerabilidad de la víctima precisará de una evaluación de la capacidad, además de poder incluir aquellos factores psicológicos, sociales y ambientales que contribuyen a su susceptibilidad a este tipo de violencia.

En el presente caso, resultará de especial relevancia la constatación del deterioro cognitivo y su impacto sobre la capacidad de administración de sus bienes, pero también la información que podamos aportar sobre las relaciones significativas de Josefa, su actitud minimizadora sobre los incidentes que vive y la situación de dependencia que presenta.

Nuestra evaluación forense contribuirá a caracterizar el fenómeno, pero se tendrán en especial consideración los indicadores económicos sugestivos de explotación financiera. Los datos al respecto pueden ser aportados por la familia, instituciones o entidades bancarias… El análisis no corresponde al médico forense, ni al psicólogo o psiquiatra forense, pero de existir, contribuirá a ayudar al tribunal a alcanzar la convicción necesaria sobre la situación de violencia.

9. CONCLUSIONES

En este caso concreto, y aunque falta información de tipo forense para poder concluir de forma taxativa respecto de los objetos periciales planteados, en base a la información disponible se podrían desprender, a modo de ejemplo, las siguientes conclusiones:

1. Que el análisis médico-legal de la documentación obrante en autos permite objetivar que Josefa ha presentado dos lesiones distintas en distintas fechas: una contusión simple con integridad de la piel (equimosis de tipo hematoma) a nivel de ambos muslos y una herida de origen probablemente contusa a nivel craneal.

2. Que la existencia de múltiples lesiones en episodios distintos y sin clara explicación respecto a la forma de producción de las mismas

en una persona vulnerable como es Josefa son sugestivas de un posible maltrato físico.

3. Que Josefa presenta una vulnerabilidad biopsicosocial elevada, con afectación de su capacidad para administrar sus bienes y dependencia de terceros, situación que supone un riesgo elevado.

IV. BIBLIOGRAFÍA

Organización Mundial de la Salud. Maltrato a las personas mayores. Disponible en: https://www.who.int/es/news-room/fact-sheets/detail/abuse-of-older-people Acceso: 08/10/2022.

Castellano Arroyo, M. (2004). *Violencia familiar*. En Medicina Legal y Toxicología (6.ª ed., pp. 486-504).

Yon Y., Mikton C. R., Gassoumis Z. D., Wilber K. H. *Elder abuse prevalence in community settings: a systematic review and meta-analysis.* Lancet Glob Health. (2017);5(2):e147-e156.

Yon Y., Ramiro-González M., Mikton C., Huber M., Sethi D. *The prevalence of elder abuse in institutional settings: a systematic review and meta-analysis.* Eur J Public Health. (2019);29(1):58-67.

Blum B., Esperanza L. Gómez-Durán E. L., Richards D. *Abuso financiero e influencia indebida de las personas de avanzada edad*. Rev. Esp. Med. Legal. (2013);39:63-9.

Morentin Campillo B., Portero Lazcano G. *Guía práctica de evaluación medicoforense de alegaciones de maltratos y tortura.* Revista Española de Medicina Legal. (2011);37:72-5.

Navarro-Escayola E., Oliver-Moreno P. Protocolo de actuación médico forense para el reconocimiento del maltrato al anciano. Revista Española Medicina Legal. (2019);45:38-44.

Pastor-Bravo M., Montero-Juanes J. M., Barbería-Marcalain E., Grijalba-Mazo M., Estarellas-Roca A., Bañón-González R. El protocolo de valoración urgente del riesgo de violencia de género del Consejo Médico Forense. Revista Española Medicina Legal. (2021);47:172-6.

Gómez Ayala, A.-E. Maltrato al anciano. Farmacia Profesional. (2015);29:27-31.

Aspectos deontológicos de relevancia en la atención y actividad pericial en violencia de género

Aina Gassó Moser

Universitat Internacional de Catalunya

Esperanza L. Gómez-Durán

Universitat Internacional de Catalunya

Los códigos deontológicos recogen un conjunto de criterios, normas y valores que formulan y asumen quienes llevan a cabo una actividad profesional. Se ocupan de los aspectos más sustanciales y fundamentales del ejercicio de la profesión que regulan.

Existen unos principios generales rectores en deontología que contemplan la beneficencia y no maleficencia, la responsabilidad, la integridad, la justicia y la legalidad. Su aplicación en relación a la actividad clínica asistencial y forense en violencia de género tiene aspectos concretos de especial relevancia o diferenciales.

En primer lugar, debemos aclarar que las profesiones colegiadas contemplan en los códigos deontológicos de los diferentes colegios profesionales la incompatibilidad de la actividad asistencial y la pericial por el mismo profesional en un mismo caso.

El Código Deontológico del Consejo de Colegios de Médicos de Catalunya del año establece en su norma 26 que "El médico no puede ejercer funciones de médico forense ni de instructor de expedientes administrativos, ni emitir informes, dictámenes u opiniones de naturaleza pericial con relación a los procesos asistenciales en los que participe o haya participado como médico".

La independencia profesional y para el ejercicio legítimo de la profesión está contemplado en los códigos de deontología, así como la honestidad. De hecho, en el ámbito forense esto quedará explicitado en los informes cuando el perito jura o promete conforme al artículo 335.2 de la Ley de Enjuiciamiento Civil cuando dice: "que al emitir el presente dictamen he actuado con la mayor objetividad posible, y que he tomado en consideración tanto lo que pueda favorecer como lo que sea susceptible de causar perjuicio a cualquiera de las partes, y que conozco las sanciones penales en las que podría incurrir si incumpliera mi deber como perito".

También son comunes a ambos los requerimientos en competencias. Por una parte el profesional debe gozar de las competencias necesarias para el ejercicio asistencial, y también precisa la competencia especializada para el ejercicio de la actividad pericial o forense. Así el Código de Deontología del Colegio Oficial de Psicólogos de Cataluña establece que los psicólogos tienen el deber ético de "actualizar su formación y sus conocimientos dentro del ámbito de sus competencias" y "conocer los límites de su competencia profesional". Respecto al ámbito forense establece que "en el ejercicio forense, los psicólogos tienen que estar familiarizados con las normas judiciales o administrativas que rigen su tarea. Igualmente, tienen que tener una formación especializada".

Así como el profesional asistencial debe velar por la adecuación y actualización de las técnicas que aplica, reconociendo sus limitaciones; en la misma línea, el perito forense deberá velar y poder acreditar que las técnicas de evaluación utilizadas son las adecuadas para el caso concreto, que son válidas y fiables, y que son las más actualizadas desde un punto de vista científico-técnico.

Asimismo, al igual que corresponde en el contexto asistencial, el perito deberá velar por que la metodología utilizada le ayude a dar respuesta a los objetos de pericia planteados, y que no existan intervenciones innecesarias o de poco valor forense.

Respecto a la actividad forense, existen unos principios característicos en su aplicación según el Colegio Oficial de Psicología de Cataluña (COPC, 2016):

1. *Responsabilidad y competencia*: Se considera que un psicólogo actúa bajo el criterio de responsabilidad cuando realiza su labor profesional de forma competente, íntegra y objetiva (Molina, 2011;2013).

En esta línea, los psicólogos forenses deberán ser conscientes de la necesidad de poseer elevados niveles de competencia, formación y experiencia, para llevar a cabo sus evaluaciones de manera óptima, remarcando la necesidad de poseer y actualizar conocimientos tanto psicológicos, como éticos y legales relacionados con este ámbito.

2. *Objetividad e imparcialidad*: La objetividad debe ser el principio que debe regir el examen pericial, independientemente de los intereses de las partes implicadas, considerando el informe que se emite como un documento científico. En este sentido, el psicólogo forense en su labor profesional deberá evitar los conflictos de intereses y relaciones duales que pongan en peligro esta objetividad. De forma más concreta, la evaluación pericial no deberá ser llevada a cabo por el terapeuta o mediador, y el psicólogo forense no podrá haber mantenido ninguna relación previa con los miembros implicados.

3. *Confidencialidad, secreto profesional y consentimiento informado*: el psicólogo forense está exento del secreto profesional en aquello relativo a la pericia al estar al servicio directo de la Justicia. No obstante, como señala Torres (2002), el psicólogo forense deberá esforzarse por mantener la confidencialidad respecto a cualquier información que no tenga que ver directamente con los propósitos legales de la evaluación.

Por último, los profesionales que prestan asistencia o evalúan casos de violencia pueden experimentar reacciones o emociones intensas ante los relatos de violencia o la objetivación de lesiones. El impacto puede generar malestar, agravar patologías previas o desencadenar cuadros reactivos ansiosos, afectivos o traumáticos. El trabajo con supervivientes de cualquier tipo de violencia es una innegable fuente de estrés y precisa una especial atención al bienestar de los propios profesionales. Esto no es solo una recomendación, si no que el Código Deontológico del Colegio de Psicólogos de Cataluña también establece en el artículo 12 que "El profesional de la psicología tiene que asegurarse de que su estado emocional, mental y físico no afecta a su capacidad para proporcionar un servicio psicológico competente y, si no es así, tiene que buscar asesoramiento profesional".

BIBLIOGRAFÍA

Consejo de Colegios de Médicos de Cataluña (2022). Código de Deontología. Publicado en: Diario Oficial de la Generalidad de Cataluña de

4 de enero de 2022. (Resolución JUS/3841/2021, de 21 de diciembre). [Disponible en: https://www.comb.cat/pdf/DG_Deontologia_CAST. pdf].

Col·legi Oficial de Psicología de Catalunya. (2015). Codi Deontològic del Col·legi Oficial de Psicología de Catalunya. Publicado en: Diario Oficial de la Generalidad de Cataluña n.° 6799, de 29 de enero del 2015. [Disponible en: https://arxiu.copc.cat/adjuntos/adjunto_5328/v/Codi%20 Deontol%C3%B2gic%20en%20castell%C3%A0.pdf?tm=1524062934].

Committee on the Revision of the Specialty Guidelines for Forensic Psychology (2011). *American Psychologist*. [Disponible en: http://www. apadivisions.org/division-41/about/specialty/guidelines.pdf] 0003-066X/12/$12.00 Vol. 68, No. 1, 7-19.

Molina, A. (2011). Conocimiento y aplicación de los principios éticos y deontológicos por parte de los psicólogos forenses expertos en el ámbito de familia. Tesis doctoral, Facultad de Psicología. [Disponible en: http://www.tdx.cat/handle/10803/32713].

Molina, A. (2013). Ética y deontología del psicólogo forense en los procedimientos de familia. *Revista de derecho de familia: Doctrina, Jurisprudencia, Legislación*, 59, 67-76. ISSN 1139-5168.

Guía de uso

¡ENHORABUENA!

ACABAS DE ADQUIRIR UNA OBRA QUE **INCLUYE LA VERSIÓN ELECTRÓNICA.**
APROVÉCHATE DE TODAS LAS FUNCIONALIDADES.

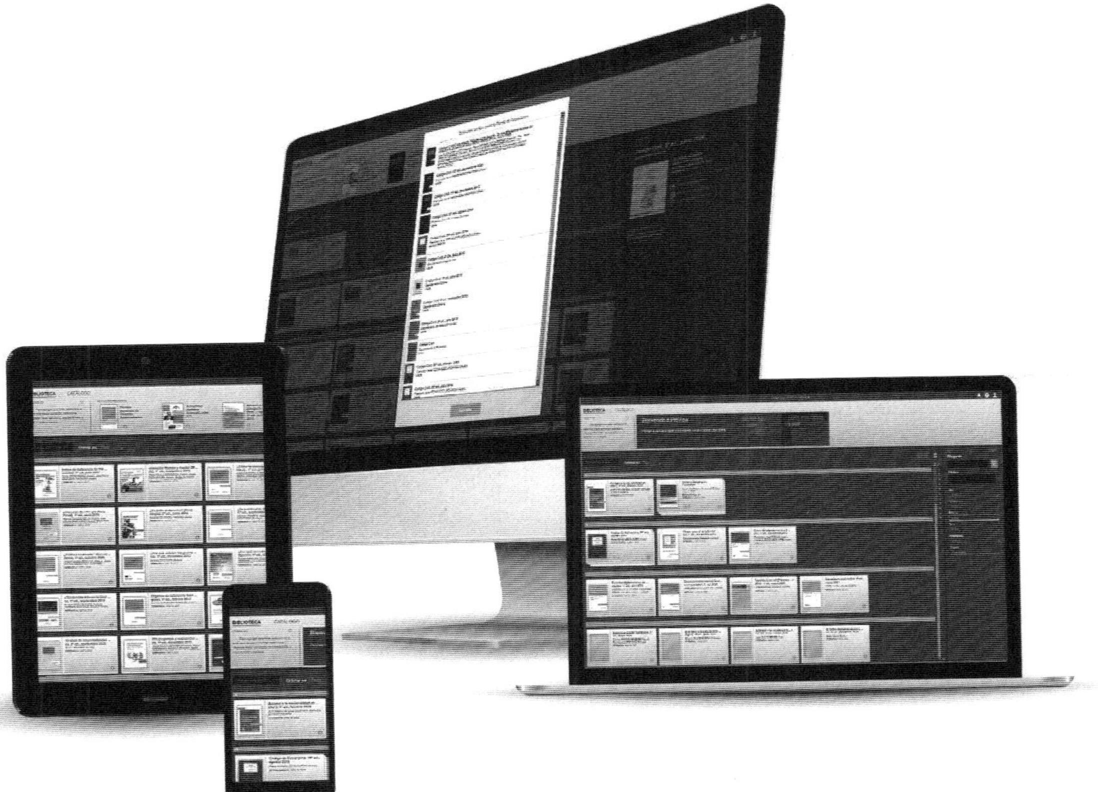

ACCESO INTERACTIVO A LOS MEJORES LIBROS JURÍDICOS

ARANZADI

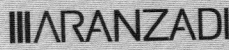

FUNCIONALIDADES

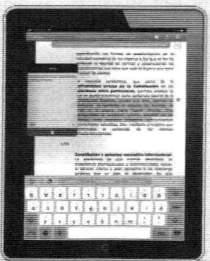

SELECCIONA
Y DESTACA TEXTOS

Crea anotaciones y escoge los
colores para organizar tus notas y
subrayados.

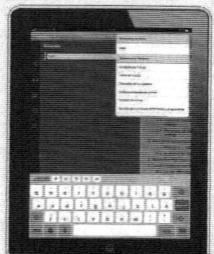

USA EL TESAURO PARA
ENCONTRAR INFORMACIÓN

Al comenzar a escribir un término,
aparecerán las distintas coinciden-
cias del índice del Tesauro relacionadas con el término buscado.

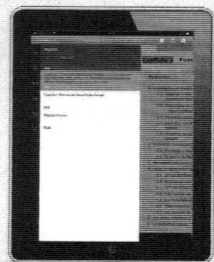

HISTÓRICO DE NAVEGACIÓN

Vuelve a las páginas por las
que ya has navegado.

ORDENAR

Ordena tu biblioteca por:
Título (orden alfabético),
tipo (libros y revistas), editorial,
jurisdicción o área del Derecho.

CONFIGURACIÓN Y
PREFERENCIAS

Escoge la apariencia de tus libros
y revistas en ProView cambiando
la fuente del texto, el tamaño de
los caracteres, el espaciado entre
líneas o la relación de colores.

MARCADORES DE PÁGINA

Crea un marcador de página en
el libro tocando en el icono de
Marcador de página situado en el
extremo superior derecho de la
página.

BÚSQUEDA EN LA BIBLIOTECA

Busca en todos tus libros y
obtén resultados con los libros
y revistas donde los términos
fueron encontrados y las veces que
aparecen en cada obra.

IMPORTACIÓN DE
ANOTACIONES A UNA NUEVA
EDICIÓN

Transfiere todas sus anotaciones y
marcadores de manera automática
a través de esta funcionalidad.

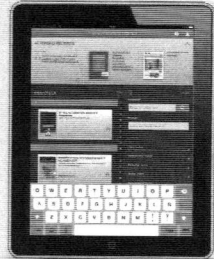

SUMARIO NAVEGABLE

Sumario con accesos directos
al contenido.